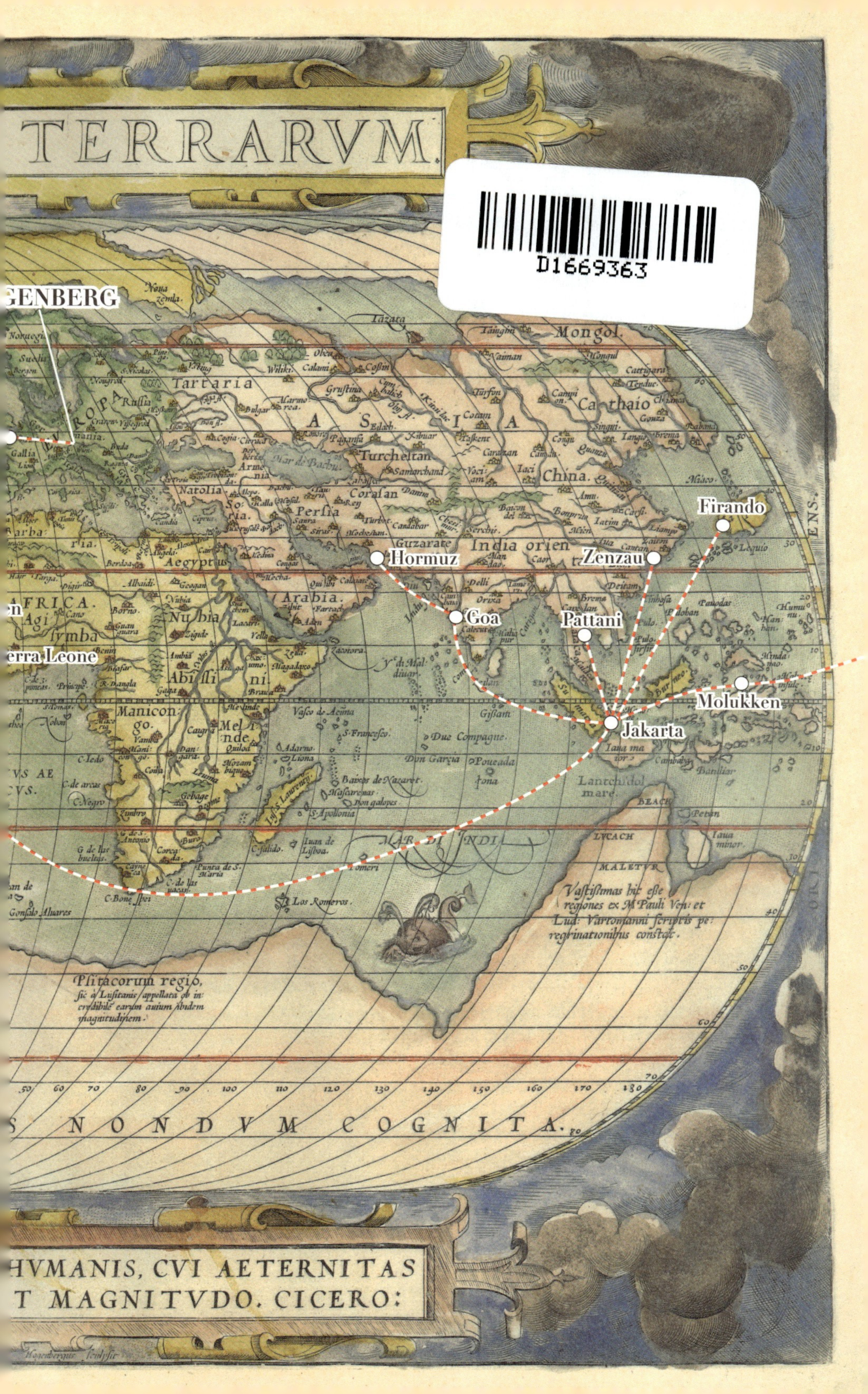
TERRARVM
D1669363
GENBERG
Firando
Hormuz
Zenzau
Goa
Pattani
Jakarta
Molukken
erra Leone
Tartaria
ASIA
China
India orien
Persia
Arabia
Aegyptus
AFRICA
EVROPA
Mongol
Cathaio
Turcheftan
MAR DI INDI
Vastissimas hic esse regiones ex M. Pauli Ven: et Lud: Vartomanni scriptis peregrinationibus constat.
Psitacorum regio, sic a Lusitanis appellata ob incredibilē earum auium ibidem magnitudinem.
S NONDVM COGNITA.
HVMANIS, CVI AETERNITAS
T MAGNITVDO. CICERO:

Christoph Carl Fernberger

In sieben Jahren um die Welt

Das Reisetagebuch von Christoph Carl Fernberger wird im Finanz- und Hofkammerarchiv (Allgemeines Verwaltungsarchiv/Österreichisches Staatsarchiv) aufbewahrt. Es ist Teil des dort deponierten Familienarchivs Harrach mit der Handschriften-Signatur 473.

Der Verlag und das OK Offenes Kulturhaus Oberösterreich danken der Kulturabteilung in der Oberösterreichischen Landesregierung und Dr. Karl Stöhr von der Brauerei Schloß Eggenberg in Vorchdorf.

1. Auflage 2008

Graphische Gestaltung: Dall'O & Freunde
Bildbearbeitung: Typoplus, Frangart
Druckvorbereitung: Graphic Line, Bozen
Printed in Austria

ISBN 978-3-85256-458-6

www.folioverlag.com

Christoph Carl Fernberger

In sieben Jahren um die Welt

Die Abenteuer des ersten österreichischen Weltreisenden (1621–1628)

Neu erzählt von Martina Lehner
Herausgegeben gemeinsam mit dem
OK Offenes Kulturhaus Oberösterreich

Band II
FolioVerlag

Für Leon

Inhalt

1646. CHRISTOPHORVS CAROLVS FERNBERG, S.C.R.M. PEDITVM COLONELLVS.
DAS GLÜCKH MVS THVEN.

1. Kapitel

Wie aus einem Hauptmann der Spanischen Armee ein Schiffskoch wird

Mit dreihundert Gulden war der Handel besiegelt. Eine schöne Stange Geld, man hätte damit auch eine ganze Schiffsladung französischen Cognac erwerben können. Christoph Carl Fernberger erkaufte sich damit die Freiheit.

Begonnen hatte alles mit seiner Gefangennahme durch die holländische Armee irgendwo im Süden der Vereinigten Niederlande. Man schrieb das Jahr 1621 und seit einem Jahr lief erneut eine spanische Offensive gegen die aufständischen Provinzen. Fernberger war ein erfolgversprechender junger Mann von etwa fünfundzwanzig, dreißig Jahren und verdiente sich als Hauptmann der Gegenseite gerade seine ersten militärischen Sporen.

Das bezahlte Lösegeld machte aus dem Kriegsgefangenen wieder einen Mann von Ehre. Sein Weg führte ihn sogleich nach Roosendaal, direkt ins Hauptquartier des Prinzen von Oranien. Jetzt lag Fernbergers weiteres Schicksal in den Händen von Mauritz von Nassau. Als er beim Oberbefehlshaber persönlich vorsprechen durfte, fiel Fernberger dem Prinzen zu Füßen: „Eure Exzellenz möchten die Gnad' haben, mich wieder zu meinem Regiment zurückgeleiten zu lassen."

Mauritz von Nassau ließ sich Zeit: Wer er denn sei, wollte er von diesem merkwürdigen Bittsteller wissen, von wo er käme, wie es um das Lager des Gegners denn stünde und noch vieles mehr. Irgendwann nahm das Gespräch wieder

eine Wendung in Richtung Fernbergers Ansinnen. Seine Leute würde er unter keinen Umständen bis hinüber schikken, stellte der Prinz von Oranien klar, zuviele seien in letzter Zeit unterwegs von der Gegenseite aufgegriffen und kurzerhand gehängt worden. Doch es gäbe immerhin noch eine andere Möglichkeit – kurz: Fernberger solle bleiben und in den Dienst der holländischen Armee treten. Mauritz von Nassau winkte fürs erste mit einem Fähnrichspatent und stellte für später noch mehr in Aussicht.
Jetzt war Diplomatie gefragt. „Ein überaus großzügiges Angebot, Eure Exzellenz seien herzlich bedankt, doch habe ich mein Wort bereits der anderen Seite gegeben. Es einzulösen ist mein Wunsch und meine Pflicht", versuchte sich Fernberger aus der Affäre zu ziehen.
Mauritz von Nassau wurde wütend: So solle er sich denn trollen, bekam Fernberger zur Antwort, würde er aber auf dem Weg von seinen Soldaten gestellt, dann wäre er es, den man ohne Gnade hängen würde.
Das war auch keine Lösung. Fernberger begann noch einmal von vorn: „Eure Exzellenz wollen mir nur einen Paßbrief erteilen." Die Strategie ging auf. Sein Gegenüber entließ ihn huldvoll mit dem Aviso, am nächsten Tag wieder vorzusprechen.
Diese Begegnung verlief von Anfang an vielversprechend. Als Christoph Carl Fernberger anderntags im Quartier des Prinzen vorstellig wurde, meldete ein Page seine Ankunft, um ihn anschließend bis ans Bett Seiner Exzellenz zu führen. Ob er seine Meinung nicht doch geändert habe, wurde Fernberger noch einmal gefragt, er sollte es gewiß nicht bereuen, wenn er bliebe. Auch stellte der Prinz nun gar die nächste freie Leutnantsstelle in Aussicht. Doch Fernberger blieb bei seiner Bitte.
„So ziehet hin – aber Ihr werdet es bereuen", sagte Mauritz von Nassau und überreichte ihm daraufhin den gewünschten Passierschein. Fernberger küßte die Hände seines nunmehrigen Gönners. „Ein ehrlicher Mann hält sein Wort, Eure Exzellenz, Ihr mögt mir mein Verhalten nicht übelnehmen."
Mauritz von Nassau zeigte sich dem standhaften Österreicher gewogen. Zum guten Schluß offerierte er Fernberger noch einen Becher Wein. Er sei herzlich bedankt, aber er würde keinen Wein trinken, lehnte Fernberger auch dieses Angebot ab. So ließ der Prinz von Oranien den wild entschlossenen Fernberger eben ziehen – ohne Geld, aber mit einem Passierschein in der Tasche.
Zunächst folgte Fernberger dem Adjutanten des Prinzen in dessen Quartier, wo er in aller Freundschaft bewirtet und mit allen Annehmlichkeiten versorgt wurde. Trotzdem war jetzt guter Rat teuer. Denn wie er es bewerkstelligen sollte, tatsächlich bis hinter die feindlichen Linien zurück ins eigene Armeelager zu kommen, das wußte Christoph Carl Fernberger noch nicht.
Vier Tage lang schmiedete er Pläne – und verwarf sie alle wieder. Es war aussichtslos. Als er sich schließlich seinem Gastgeber anvertraute, pflichtete der ihm zumindest bei: Ein solches Unterfangen war tatsächlich aussichtslos. Allerdings sah Kapitän Weber auch noch eine andere Möglichkeit:
„Amsterdam", schlug er vor, „Ihr müßt nach Amsterdam und von dort mit einem Schiff nach Antwerpen und viel-

leicht weiter nach Brüssel." Zwar führte dieser Weg eigentlich in die falsche Richtung, aber zumindest konnte Fernberger so das Gebiet der Vereinigten Niederlande verlassen. Alles Weitere würde sich dann – auf dem für ihn sicheren Terrain der Spanischen Niederlande – wohl schon finden.

So nahm Christoph Carl Fernberger tags darauf Abschied. Kapitän Weber stellte ihm einen Begleiter bis zum Kanal und drückte ihm auch noch einen Geldbeutel in die Hand: „Zwei Taler für Eure Wegzehrung."

Damit war Fernberger fürs erste versorgt. Er war wieder ein freier Mann mit ein wenig Geld in der Tasche. Jetzt also auf zum Kanal. Als er und sein Begleiter in Iver eintrafen, führte sie ihr Weg sogleich an die Anlegestelle. Hier lagen die Schiffe vertäut, die Proviant für das Hauptquartier in Roosendaal lieferten.

Fernberger machte sich auf die Suche nach einer geeigneten Mitfahrgelegenheit. Das war schwieriger als gedacht. Nach zwei Tagen saß er immer noch hier fest, und das einzige Schiff, das in Kürze ablegen sollte, war ein kleiner Leichter, der bereits von Privatpassagieren belegt war. Ein französischer Graf, ein Freund des Prinzen von Oranien, so hatte Fernberger erfahren, würde damit nach Den Haag reisen.

Als der Graf mit seinem Gefolge in Iver eintraf, erkannte Fernberger unter den Begleitern auch Wilhelm, den unehelichen Sohn des Prinzen von Oranien, der dem Grafen das Geleit bis zum Wasser gab. Fernberger hatte ihn mehrmals in Roosendaal am Hof des Prinzen gesehen, und Junker Wilhelm, der Fernberger ebenfalls wiedererkannt hatte und von seiner Angelegenheit wußte, erklärte sich bereit, ihm behilflich zu sein. Er übernahm die Rolle des Vermittlers und legte dem Grafen den hier gestrandeten Österreicher ans Herz. Der Graf, der gegen diesen Passagier nichts einzuwenden hatte, ließ Fernberger also ausrichten, er solle nur mitfahren.

Die erste Hürde war genommen. Da weder der Graf noch einer aus seiner Dienerschaft Deutsch sprach, erkundigte sich Fernberger beim Bootsmann, wie lange die Reise wohl dauern würde. „Zwei Tage", gab dieser zur Antwort.

Daraufhin zog Fernberger los, um Proviant zu kaufen: Ein Brot und Käse, gerade soviel, wie er dachte, in zwei Tagen zu essen, und am Nachmittag ging er im Gefolge des Grafen an Bord. Es war das erste Mal, daß er aufs Wasser kam.

Eine halbe Meile später war die Reise gleich wieder zu Ende: Ein starker Gegenwind kam auf, der kleine Leichter kreuzte dagegen an, konnte aber keine Fahrt mehr machen. Es blieb nichts anderes übrig, als Anker zu werfen und zu warten. Auch über Nacht änderte sich das Wetter nicht. Am nächsten Tag ebenso wenig. Und auch nicht am folgenden. Am vierten Tag fand sich Christoph Carl Fernberger immer noch an derselben Stelle und am Rand der Verzweiflung: Seinen Proviant hatte er schon an den ersten beiden Tagen aufgebraucht, denn das Nichtstun hatte zum Essen schier verleitet und jetzt hungerte er bereits den zweiten Tag. Er fragte beim Bootsführer des Leichters nach, ob er ihm vielleicht Brot verkaufen könnte, aber der hatte gar keinen Proviant dabei, weil er von den Leuten des Grafen mitverköstigt wurde. Der

Kapitän war Fernbergers letzte Hoffnung gewesen. Er wußte keinen Rat mehr. Die Dienerschaft des Grafen anzubetteln, ließ sein Stolz nicht zu.
Tags darauf – der Wind hatte immer noch nicht nachgelassen und das Schiff schaukelte weiterhin vor Anker – lehnte Fernberger gerade an Deck, als der Graf zu einem kleinen Spaziergang heraufkam. Er sah Fernberger stehen und sprach ihn an: „Parlez–vous français, Monsieur, ou italien?"
„Non".
Kein Französisch, kein Italienisch. Vielleicht Latein?
„Utrum Catholicus es, domne, an Calvinianus?"
Ob er katholisch sei oder Calviner? Fernberger überlegte nur kurz: „Equidem Catholicus sum."
Freudig nahm ihn der Graf in seine Arme und meinte, er und sein Gefolge seien ebenfalls katholisch, doch im ganzen holländischen Lager wäre er der einzige gewesen. Nun war Fernberger zwar Protestant, so wie seine ganze Familie und übrigens auch der überwältigende Teil aller adeligen Häuser in Österreich, doch jetzt und hier schien es angezeigt, damit ein wenig hinter dem Berg zu halten.
Es dauerte nicht lange und Fernberger konnte die Früchte seiner Flunkerei ernten: Der Herr Graf lasse ihn in seine Kajüte bitten, wurde ihm bestellt, und als er dort ankam, winkte der Franzose seiner Dienerschaft, Pasteten und Brot zu bringen.
„Mangez, Monsieur!"
Nichts lieber hätte Fernberger jetzt auch getan, doch um den Schein zu wahren, bat er den Grafen statt dessen um seinen Rosenkranz. Der wurde gern und unter großem Zeremoniell ausgehändigt. Und was nun? Fernberger entschuldigte sich und zog sich wieder aufs Deck zurück. Dort blieb er eine ganze Weile, drehte die Perlenschnur zwischen den Fingern und dachte doch mehr an die Pasteten als ans Beten. Schließlich meinte er, jetzt wohl über jeden Verdacht erhaben zu sein, und stieg wieder hinunter. Mit frommer Miene betrat er die Kajüte des Grafen und gab das Paternoster wieder seinem Besitzer zurück. Endlich! Man setzte sich zu Tisch und Fernberger stillte seinen Hunger.
Sein Magen war wieder zufrieden, sein Proviantproblem gelöst und als am Abend dann auch noch guter Wind aufkam, stand einer fröhlichen Schiffahrt nichts mehr im Wege.
Schon am nächsten Morgen lief das Schiff in Rotterdam ein. Die Stadt war nach Amsterdam die wichtigste Handelsstadt der Niederlande, entsprechend groß und belebt war ihr Hafen. Der Reichtum seiner Bürger spiegelte sich in den schmucken Fassaden der Häuser und über deren spitzen Giebeln lugten die nicht weniger spitzen Türme von Rotterdams unzähligen Kirchen.
Auch der Graf war an Deck gekommen, um sich den Anblick nicht entgehen zu lassen und schickte sich an, das Schiff zu verlassen, kaum daß es angelegt hatte. Er stand schon am Kai, als er sich noch einmal umwandte und Fernberger zurief, er möge ihn doch begleiten, er würde ein gutes Wirtshaus aufsuchen. Fernberger sah sich gezwungen, höflich zu danken und zuzugeben, er hätte nicht genug Geld, um mit ihm gemeinsam zu speisen. Wenn er wolle, sei er gerne eingeladen, kam die Antwort. Er wollte. Zuerst aber vertraten sich die

Herren noch die Beine und sahen sich ein wenig in der Stadt um.
Darüber war es bald Essenszeit geworden, Fernberger und sein Gönner suchten ein Wirtshaus auf. Dort hieß ihn der Graf ohne Umstände neben sich an der Tafel Platz nehmen. Fernberger fühlte sich jedoch nicht wohl in seiner Haut: Sein Aufzug war alles andere als angemessen, doch der Franzose achtete nicht auf seine schäbigen Kleider. Im Gegenteil, Fernberger wurden alle Ehren eines gern gesehenen Gastes erwiesen.
Am Nachmittag wurde es langsam Zeit aufzubrechen. Das Schiff legte wieder ab und fuhr weiter nach Tortrecht, das auch eine schöne Stadt war. Anderntags ging es weiter nach Delft. Wieder vertrat man sich die Beine mit einem kleinen Stadtspaziergang: Über den Markt zur Kirche St. Hippolyt, dort lag die Begräbnisstätte der Prinzen von Oranien. Prächtige Grabdenkmäler aus Alabaster, mit erlesenen Malereien geziert. Schon am selben Nachmittag ging es weiter, der Graf schien es eilig zu haben, ans Ziel zu kommen. So traf das Schiff noch am Abend in Den Haag ein.
Den Haag war die heimliche Hauptstadt der Vereinigten Provinzen. Prinz Mauritz hatte hier seine Residenz, und das Städteparlament tagte ebenfalls hier. Der Graf brach auf. In aller Freundschaft nahm man Abschied voneinander, Christoph Carl Fernberger dankte seinem Reisebegleiter in aller Form und empfahl sich, der Franzose wiederum revanchierte sich mit einem Geschenk in Form von zwei Goldstücken. Und während der Graf nun zum Stadtpalais des jungen Landgrafen von Hessen fuhr, wo er logieren sollte, machte sich Christoph Carl Fernberger seinerseits auf die Suche nach einer geeigneten Bleibe.
Ein passendes Gasthaus war rasch gefunden. Anschließend machte sich Christoph Carl Fernberger zu einem Stadtbummel auf: Bürgerhäuser, Adelspalais, das Rathaus, die Burg, die vielen Gärten. Den Haag war ein höchst kurzweiliger Ort. Vier Tage hatte Fernberger Zeit, sich umzusehen. Die Weiterreise nach Amsterdam war kein Problem gewesen und im Handumdrehen organisiert. Auch die Fahrt selbst verging wie im Flug, und so fand sich Fernberger kurz darauf mitten im unüberschaubaren Hafenviertel von Amsterdam wieder. Was nun?
In einem Straßenverkäufer, der Gläser mit Trinkwasser feilbot, fand Fernberger seinen guten Geist. Der Mann führte ihn zu einer einfachen Herberge in die Kälberstraße. Der Wirt und seine Frau waren alte Leute. Sie sahen auf den ersten Blick, daß Fernberger nicht viel Geld ins Haus bringen würde, ließen es ihm aber an nichts fehlen und umsorgten ihn freundlich.
Am nächsten Morgen überfiel Fernberger eine große Kälte. Es war der erste November und das Wetter entsprechend. Doch dann wurde ihm plötzlich unerträglich heiß. Fernberger fühlte sich wie im Fieber. Auch am nächsten Tag ging es ihm nicht besser, im Gegenteil: Völlig ermattet mußte er das Bett hüten. Die Wirtsleute begannen, sich Sorgen zu machen. Ob er ins Siechenhaus wollte? Dort müßte er für seine Betreuung kein Geld ausgeben.
Fernberger wollte nicht ins Siechenhaus: „Ich bitte Euch, haltet mich frei, solange mein Geld reicht.“

Achtzehn Tage lang währte die Krankheit. Dann fing Fernberger langsam an, sich wieder besser zu fühlen. Er dankte Gott und erhob sich von seinem Krankenlager. Auf kleinen Spaziergängen kam er wieder zu Kräften: Nach den herkömmlichen Sehenswürdigkeiten zog es ihn auch zu den sonstigen Attraktionen jeder großen Stadt. Das Rathaus, in dem die bösen Buben verwahrt wurden, das Spinnhaus für die nicht weniger bösen Weibsleute, die beiden Armenhäuser, je eines für die alten Männer und Frauen, dann das Tollhaus und zuguterletzt etwas, das man nur in Amsterdam bestaunen konnte: die zwei Kontore der Ost- und der Westindischen Handelskompagnie.

Eine Woche, nachdem Fernberger das Bett verlassen hatte, kam der nächste Tiefschlag: Es wurde verlautbart, daß der Schiffsverkehr nach Flandern und Brabant einzustellen sei, Zuwiderhandelnden drohte der Verlust von Leben und Ladung. Wie sollte er jetzt bloß zur Spanischen Armee zurückkehren? Wieder stand Fernberger am Rand der Verzweiflung: Er hatte kaum noch Geld, weder Mantel noch warmes Wams gegen die Kälte und war immer noch halb krank. Auf der Suche nach Rat und einem Ausweg stieß er überall auf Unverständnis. Es war, als würde er gegen Mauern laufen.

Am vorletzten Novembertag ging er wieder zum Wasser. Da lag im Hafen ein großes Frachtschiff. Sein Bestimmungshafen sei Lanänder, hörte er sagen. Lanänder? Lanander? ... Irgendetwas mit „hinter Genua" ...

„Venetien!" prägte sich bei Fernberger ein. Das war der Ausweg!

Fernberger suchte sofort den Kapitän des Schiffes auf. Sprach ihn an, fragte ob er mitfahren könne. Daß er eigentlich kein Geld für die Reise hatte, mußte er ebenfalls zu verstehen geben. Vielleicht gäbe es irgendwo Arbeit – er würde überall mit Hand anlegen. Der Kapitän war ein rauher Geselle. Er musterte sein Gegenüber scharf.

„Beim Koch ... in der Kuchel gebrauchen lassen ... Alles tun, was der verlangt ... Sonst nicht!"

In seiner Not willigte Fernberger ein. So ging es wenigstens nach Hause. Um den Handel zu besiegeln, gingen die beiden in ein Gasthaus am Hafen. Fernberger zahlte drei Kannen Bier. Dann Tabak. Der Kapitän wußte, was er wollte. Fernberger war das Kraut aus der Neuen Welt neu. So begann das große Abenteuer mit der ersten Pfeife seines Lebens.

4. Dezember 1621. Wie verabredet stellte sich Fernberger am Schiff ein. Er suchte den Kapitän, dann wurde er dem Koch überantwortet. Der ließ Fernberger über seinen neuen Tagesablauf nicht lange im Unklaren: Feuer legen, Wasser schöpfen, den Kaufleuten das Essen in die Kajüten tragen ... Das wäre alles noch nicht so schlimm gewesen, doch jetzt hieß es plötzlich, auch die halbe Nacht an Deck Wache schieben. Das war eigentlich nicht Teil der ursprünglichen Vereinbarung gewesen – doch was hätte Fernberger tun sollen? Im Moment hieß es eben, sich in Geduld zu üben.

Früh am nächsten Morgen begann Fernbergers neues Leben als Seemann. Den ganzen Tag lang wurde Stückgut an Bord gehievt und in den Laderäumen verstaut: Eisen, Teer, Pech und allerlei Gerätschaft zur Ausrüstung des Schiffes. Dann kam die Ladung der Kaufleute sowie zwanzig Kisten mit *Reales*. In jeder einzelnen, hörte man, seien achttausend dieser spanischen Silbermünzen. Als die letzte Kiste festgezurrt und die letzte Ladeluke wieder geschlossen war, waren ganze acht Tage vergangen. Fernberger hatte wie die übrigen Seeleute geschuftet und war am Ende seiner Kräfte. Doch noch war die Arbeit nicht getan: Jetzt hieß es aufentern, um die Segel anzuschlagen. Unten an Deck wurden inzwischen emsig die letzten Handgriffe zum Auslaufen erledigt.

Am 18. Dezember war es dann soweit: Die stolze *Hazewind* legte ab und nahm unter fröhlichem Geschützfeuer Kurs auf die Ausfahrt der Zuidersee. Am nächsten Tag kam an Backbord schon die Stadt Enkhuizen in Sicht. Aufenthalt war keiner mehr geplant, schließlich reiste hier niemand zum Vergnügen. Vor dem Kap gingen nur noch zwei Leichter längsseits, und die Seeleute der *Hazewind* übernahmen ihren letzten Proviant, dann segelte man weiter. Am nächsten Tag warf man an der Ausfahrt in die Nordsee Anker. Vor der Insel Texel warteten schon etliche andere Schiffe, denn die Fahrt durchs Texlerische Gat galt als riskant und sehr gefährlich, und Wind und Wellen standen im Moment ungünstig. Ein Tag nach dem anderen verging, der Heilige Abend kam, dann der Christtag. Der Neuling an Bord lebte sich in die eintönige Schiffsroutine ein und in die siebenköpfige Kameradschaft, der er zugewiesen war und die traditionell gemeinsam an einem Tisch aß: seine Backschaft.

Am Stephanitag wechselte das Wetter. Die *Hazewind* ließ ihre aufgetuchten Segel fallen. An die dreihundert Schiffe, große wie kleine, taten es ihr gleich und so lief an diesem Tag eine richtige Armada in die Nordsee aus. Der Raum zum Manövrieren wurde recht eng, aber alle passierten glücklich das gefährliche Gat. Bis zum Einbruch der Dunkelheit hatte sich das Feld dann bereits merklich in die Länge gezogen. Mit dem guten Wind machte die *Hazewind* auch in der Nacht noch schnelle Fahrt. Plötzlich tauchte unmittelbar neben ihr ein riesiger schwarzer Schatten auf. Wie aus dem Nichts kam der Dreimaster angeschossen. Im nächsten Moment ging ein Ruck durch das Schiff und dann krachte und splitterte auch schon das Holz. Auf dem anderen Schiff hörte man jämmerliche Schreie aufgellen. Gleich darauf hatten das Heulen des Windes und die pechschwarze Nacht die unglückliche holländische Fleute auch schon wieder verschluckt. Auf der *Hazewind* wurde vom Bug gemeldet, daß beide Ankerschaufeln fehlten. Der Rest des schweren Ankers, der immer noch vorne an der Bordwand baumelte, war damit unbrauchbar geworden.

In dieser Nacht wurden viele Vermutungen angestellt: Über den Verbleib der Fleute, deren Schäden und Verluste und was wohl passiert wäre, wenn die beiden Schiffe nicht nur aneinandergeschrammt, sondern im rechten Winkel aufeinandergetroffen wären ...

Am übernächsten Tag tauchten am Morgen endlich wieder Küstenlinien an beiden Seiten des Schiffes auf: das spanische Flandern mit Dünkirchen und Oostende an Backbord, das englische Kent an Steuerbord. Am nächsten Tag auf der einen Seite Calais, auf der anderen Dover.

Der erste Tag des neuen Jahres brach an: 1. Jänner 1622. Christoph Carl Fernberger blickte zurück auf die friedliche Straße von Dover, vor ihm lag jetzt der rauhe Kanal, und dann gab es nur mehr den Ozean. Schon am Abend des nächsten Tages wurden die Wellen merklich höher, die See grober. Man spürte die Gefahr. Bei der Mannschaft zeigte sich die Wirkung: Kaum einer der fünfundsiebzig Seeleute an Bord war schon einmal auf offener See gewesen, fast alle wurden jetzt nacheinander krank vor Angst und Übelkeit. Acht Mann mußten die Schiffsführung an diesem Tag alleine bewältigen.

Christoph Carl Fernberger genoß ebenfalls einen freien Tag, spielte aber seine Seekrankheit mannhaft herunter. Nur ein wenig Kopfschmerzen hätte er gehabt, eröffnete er nachträglich, und schon am nächsten Morgen sei rein gar nichts mehr davon zu spüren gewesen. Der Kapitän tat das seine, um die Moral wieder zu heben: mit harter Arbeit und Branntwein. Ein kleines Gläschen davon und eine Kanne Wasser am Tag, dazu noch drei Pfund Zwieback in der Woche, das waren ab sofort die Zubußen zu den eintönigen Mahlzeiten.

Für alle, die noch nie im Spanischen Meer gewesen waren, ließ der Kapitän im Golf von Biscaya außerdem pro Backschaft einen Bierkrug voll Wein ausgeben – das ersetzte dieser Tage die alten Sitten, die dort einst jeden, unbesehen seines Standes, zu einem unwillkommenen Bad verholfen und den altgedienten Seeleuten zur Belustigung gedient hatten: von einer Rah ins Wasser geworfen und an einem Strick wieder herausgezogen zu werden. Dabei hatte es einfach zu viele Tote gegeben. Irgendwann in den nächsten Tagen mußte es Christoph Carl Fernberger dann klar geworden sein: Sein stolzes Schiff hielt nicht auf die Straße von Gibraltar, das sanfte Mittelmeer und die ersehnte Heimat zu, sondern segelte unbeirrt hinaus auf den rauhen Atlantik. Längst war die letzte Küste hinter dem Horizont verschwunden.

Hatte man ihn am Kai vom Amsterdam auflaufen lassen? Oder war es ein Mißverständnis gewesen?

2. Kapitel

Wie ein Seesturm die Perspektive verändert

„Landana", so stellte sich heraus, lautete der Name des angesteuerten Ziels in Wahrheit, und Landana lag im Golf von Guinea in Westafrika.

Am 8. Jänner 1622 sichtete man auf der *Hazewind* wieder Land: die Insel Fuerteventura. Viel zu sehen gab es nicht – das Schiff hatte nicht vor, die Kanarischen Inseln anzulaufen, also glitt nur die Silhouette der Insel weit draußen im Meer an Steuerbord vorbei. Sechs Tage später tauchte dann an Backbord zum ersten Mal die Küste Afrikas auf.

„Rio d'Oro!" sagten die Seeleute, „die Grenze zu den Barbarenlanden, recht unter dem Wendekreis des Krebses." Unberechenbare Strömungen hielten die Schiffe hier für gewöhnlich auf hoher See, es war zu gefährlich, dicht unter Land zu laufen. Am vierten Tag braute sich im Norden ein Unwetter zusammen. Als der anschwellende Sturm sie erreicht hatte, begann die *Hazewind* zu ächzen. Die Seeleute beteten. Alle meinten, das Schiff werde jeden Moment untergehen, so gewaltig war der Sturm, so böse das Meer. Und es wollte nicht aufhören. Der erste Tag, die erste Nacht gingen vorüber, dann der zweite, schließlich auch noch der dritte. Irgendwann begann der Wind nachzulassen. Man wußte, es war überstanden. Allerdings hatte das Schiff fürchterlich gelitten. Sogar die Masten saßen nur mehr locker in ihren Schuhen. Als am nächsten Tag die Sonne aufging, versuchten die Steuerleute, die Position zu bestimmen. Der Dschungel, der jetzt an Steuerbord zu sehen war, wurde als Kap Verde identifiziert. So hatte der Sturm dem Schiff zumindest eine schnelle Fahrt nach Süden beschert. Trotzdem: Bis zum Ziel war es immer noch unermeßlich weit.

Am 24. Jänner erreichte man die Grenze von Sierra Leone. Das Schiff drehte bei und setzte gleich am Morgen ein Boot aus, das einige Männer ans Ufer ruderten. Auch vom Schiffsdeck aus war deutlich zu sehen, daß sich dort daraufhin wohl zweihundert Schwarze einfanden, und zu hören, daß ihnen einer der Matrosen auf spanisch zurief: „Zitronen! Pomeranzen!“ Man wolle tauschen gegen Messer und Glasperlen.

Die Schwarzen schienen auf den Handel einzugehen, meinten, sie würden die Früchte bringen und wiederkommen. Allein, die Zeit verging, und am Ufer ließ sich niemand mehr blicken. Irgendwann riß dem Kapitän die Geduld: „Zwei Leute ins Boot! Geht nachsehen, ob sie jetzt kommen oder nicht!“

Fernberger drängte sich zum Kapitän durch: „Laßt mich gehen“, sagte er, „mich mit meiner Muskete!“ So war also der erste Freiwillige rasch gefunden – nur ein zweiter wollte sich partout nicht melden. Niemand hatte auch nur die geringste Lust, an Fernbergers Seite durch den Dschungel zu marschieren. Zuguterletzt überzeugte eine Tracht Prügel den Matrosen, auf den die Wahl des Kapitäns gefallen war. Nun griff sich dieser eine Pike und kletterte hinter Christoph Carl Fernberger ins Boot hinunter.

Am Strand angekommen folgten die zwei den landeinwärtsführenden Pfaden, bis in der Ferne ein Dorf auftauchte. Hundert Häuser zählten die beiden, umgeben von einem runden Erdwall. Alles war ruhig.

Doch als die Einwohner die beiden Besucher näher kommen sahen, brachen sie in hellem Getümmel hervor und gleich darauf hagelte es Pfeile. Noch bevor Fernberger seine Muskete hochriß, ging sein Begleiter getroffen zu Boden – in seinem mächtigen Oberschenkel steckte ein Pfeil. Die beiden wichen zurück, Fernberger feuerte. Das stoppte die Angreifer und gab Fernberger und seinem Kameraden die Gelegenheit, sich zum Boot durchzuschlagen.

Zurück am Schiff nahm sich der Barbier des verletzten Matrosen an. Er zog den Pfeil aus dem Fleisch, besah sich die Wunde und meinte zu erkennen, daß der Pfeil vergiftet gewesen sei. Wie recht er gehabt hatte, wußte die Mannschaft drei Tage später, als der angeschossene Kamerad sein Leben aushauchte.

Noch während der Ärmste stöhnend in seiner Hängematte lag, wie volltrunken und kaum ansprechbar, war das Schiff wieder zu seiner Routine zurückgekehrt. Da die Versorgung mit frischen Früchten immer noch ausstand, versuchte man es gleich am nächsten Tag erneut. Diesmal lief man dazu eine Insel an, die nahe der Küste lag. Ein undurchdringlicher Wald, der da aus dem Wasser auftauchte. Doch wie Fernberger von denen, die schon einmal hier gewesen waren, erfuhr, wuchsen im Dickicht des Dschungels auch Unmengen von Früchten. Es war der einzige Schatz der Insel, sonst gab es dort nichts.

Immerhin: Die Schwarzen hier hatten nichts gegen das Geschäftemachen mit den fremden Schiffen. Kaum war man an Land, erschienen auch schon sechs der Kaffern, dreihundert leuchtende Zitronen in Körben geschultert. Dafür gab man sechs Messer und zwei Schiffseimer voller Glasperlen. Der Kapitän hätte die günstige Gelegenheit gern benutzt, um noch mehr Obst zu bunkern, doch die Gegenseite behauptete, sie hätte nicht mehr. „Alles nicht wahr“, wußte man dagegen auf dem Schiff. Es war ein offenes Geheimnis, daß die Schwarzen hier den Holländern nicht gut gesonnen waren.

Blitz und Donner machten dem Handel ein Ende. Das tägliche Tropengewitter setzte ein, denn inzwischen schrieb man als Breite nur mehr 8° Nord, und Fernberger wußte, es war nicht mehr weit bis zur Hälfte der Welt, markiert durch die *Linea Äquinoctialis*.

26. Jänner 1622. Die *Hazewind* nahm Abschied und setzte Segel. Der Wind kam günstig aus Ost-Nord-Ost, und bis zum Abend waren Eiland und Küste längst hinter dem Horizont verschwunden. Als die Sonne unterging, frischte der Wind plötzlich auf. Man mußte sich wohl wieder auf eine stürmische Nacht einrichten. Niemand konnte ahnen, was ihnen bevorstand.

Irgendwann in dieser Nacht sollte das Wüten des Windes ein Ausmaß erreichen, das über die Möglichkeiten von Mensch und Schiff hinausging: So gab der Kapitän Befehl, die sinnlos gewordenen Stützsegel einzuholen und das Ruder festzubinden. Die *Hazewind* trieb hilflos und allein in Gottes Hand. Auf seine Gnade hoffend war man auf dem Schiff zu Bett gegangen, jeder trollte sich in seine Kajüte, in seine Hängematte, in sein Nachteck – es gab nichts mehr zu tun. So blieb nur Beten: „Herr, gib mir ein seliges Ende ...“

27. Jänner 1622. Noch war das Ende nicht da. Der Sturm aber hielt unvermindert an.

28. Jänner 1622. Ganz langsam fing der Wind an, sich zu legen, wenig zunächst, aber genug, um das Schiff wieder zu übernehmen. Die Steuerleute nützten die Gelegenheit, um zu Mittag die Sonne zu schießen. Die Messung ergab eine Position weit nördlich vom letzten Standort – man war viele, viele Meilen zurückgetrieben worden.

29. Jänner 1622. Anstatt weiter abzuflauen, legte der Sturm am Morgen unvermittelt wieder zu. Schwoll wieder an zu einem Orkan, der die Mannschaft ohnmächtig machte. Wie in den Tagen zuvor gab es nichts mehr zu tun.

Um Mitternacht trieb die *Hazewind* auf eine blinde Klippe. Das Schiff bebte, dann krachte das Holz. Die Männer waren sofort auf den Beinen – die einen besetzten die Pumpen, die anderen gingen nachsehen, wie hoch es schon stand und wieviel Wasser man machte.

„Gottlob wenig!“ riefen die letzteren nach oben.

Fieberhaft arbeitete die Mannschaft die ganze Nacht, doch das Schiff war nicht freizubekommen. Wind und Seegang setzten es nur immer härter auf die Felsen. Schließlich versammelte der Kapitän seine Schar, entband alle von ihrem Eid und ihrer Arbeit und entließ sie in die Obhut des Herrn: „Männer! Befehl’ ein jeder seine Seele zu Gott. Wir haben Leib und Gut verloren – geht auf die Knie und betet!“

Als dann der Morgen graute, kam das Ende ganz plötzlich. Ein allerletztes Mal wurde die *Hazewind* vom Sturm gegen die Klippen geschleudert, von der mitrollenden Welle wie ein Spielzeug

hochgehoben und über festem Grund wieder abgeworfen. Es ging nur ein einziger Ruck durchs Schiff, als sein Rumpf aufschlug und entzweibrach. Im nächsten Augenblick war der Bug verschwunden, von den nächsten Brechern mitsamt den dreiundzwanzig Mann im vorderen Teil verschluckt. Der hintere Teil des Schiffes hatte sich zwischen zwei Felsen verkeilt.
Fassungslos mußte die achtern verbliebene Mannschaft mitansehen, wie sich das Szenario wiederholte, noch viermal wurden sie jäh hochgehoben und mit einem lauten Krachen wieder fallengelassen. Doch jedesmal setzten die Wellen, was von der *Hazewind* noch übrig war, wieder sicher aufs Riff.
Inzwischen war es hellichter Tag geworden und das ganze Ausmaß der Katastrophe überdeutlich zu sehen: Der geborstene offene Rumpf auf der Klippe, die zersplitterten Wrackteile im Meer. Allerdings ging die See jetzt nicht mehr so hoch, und gegen Mittag saßen die Männer schließlich auf dem Trockenen. Von den Überlebenden wußte keiner zu sagen, wo man war. Halbtot und entmutigt kletterten sie vom traurigen Rest ihres Schiffes und versuchten, das bißchen Brot, das um das felsige Eiland trieb, aus dem Wasser zu fischen.
Christoph Carl Fernberger hatte indessen gemeinsam mit fünf Kameraden fettere Beute erspäht: den Seesack eines Kaufmannes, den man längst ertrunken wußte. Die sechs wagten sich weit vor bei dem Unternehmen – zu weit, wie die nächste große Welle zeigte. Alle sechs wurden ins Wasser geschleudert, doch nur zwei von ihnen tauchten wieder auf. Der eine konnte schwimmen, der andere war Fernberger.
Nur Glück und Gottes Gnade (dessen war er sich bewußt) hatten ihn ein zerbrochenes Ankerkreuz fassen lassen – jetzt klammerte er sich mit aller Kraft an diesem Rettungsring fest. Zwei volle Stunden sollte es dauern, bis endlich zwei seiner Kameraden in der Lage waren, ihm einen Strick zuzuwerfen und ihn an Land zu ziehen.
Bis zum Abend hatte sich das heillose Chaos der ersten Stunden gelegt. Systematisch versuchten die Seeleute nun zu retten, was noch zu retten war: Im Schiffsbauch schwamm noch Brot – das wurde herausgefischt und zum Trocknen auf die Felsen gelegt. Auch Käse fand sich und ein Faß Stockfisch. Sogar ein Kessel. Trotzdem wurde es eine einsame Nacht, voll Verzweiflung und stummer Erschöpfung.
Am nächsten Morgen brach ein strahlend schöner Tag an. Das Meer war still, der Wind sanft. Kaum vierzig Männer sahen ihr neues Zuhause erstmals bei Sonnenlicht. Und sie sahen etliche ihrer toten Kameraden im Wasser treiben. Außerdem aber schwamm noch Brauchbares in der Dünung: Holz und ein Segel. Das Segel sollte sich später als nützlich erweisen, als man es zum Auffangen des Regenwassers benutzte, aus dem Holz aber und den Resten des Schiffsrumpfes bauten die Männer zunächst auf der höchsten Stelle des Eilandes, unerreicht von den Wellen, kleine Verschläge, wo jeweils vier und vier Kameraden einen engen aber trockenen Unterschlupf fanden.
31. Jänner 1622. Der dritte Tag. Wieder halfen alle einträchtig dabei, den Hausstand zu verbessern. Gemeinsam hievte man eine Kanone aus dem Wrack und zog das gute Stück auf den Felsen. Dann

kam noch ein Pulverfaß hinzu, und den Rest des Tages verbrachte man damit, das Pulver an der Sonne zu trocknen. Gegen Abend setzte starker Regen ein, also krochen alle wieder aus den Hütten, um mit dem Segeltuch Trinkwasser aufzufangen. Halb verdurstet nach drei Tagen in glühender Hitze, an denen die Männer in schierer Verzweiflung Salzwasser getrunken hatten, konnte nun endlich jeder seinen Durst stillen. Fernberger trank soviel er konnte. Dann wurde das Pulverfaß randvoll gefüllt.

Einigen war das Meerwasser nicht gut bekommen, sie fühlten sich krank und elend, doch auch die Gesunden waren längst kleinlaut und müde geworden. Angesichts ihrer Lage und da man obendrein nicht wußte, wo man war und was einem noch bevorstehen würde, wagten es die meisten auch auszusprechen: Man wünschte sich an die Stelle der Kameraden, die vor ihren Augen tot im Meer trieben. Sie hatten wenigstens schon alles hinter sich.

Am nächsten Tag wurden die Lebensmittel verteilt, das getrocknete Brot, der Käse, der Fisch. Gleiche Rationen für jeden – und jeder wußte, sobald sein Anteil einmal aufgegessen war, würde seine Zeit zu Ende gehen.

Am übernächsten Tag stolperten zwei der Seeleute aufgeregt zurück ins Lager. Sie waren auf der benachbarten Klippe gewesen, um Muscheln zu suchen und riefen nun: „Ein Schiff! Wir haben ein Schiff gesehen!“ Bei näherer Befragung stellte sich heraus, daß sie ihrer Sache doch nicht sicher waren. Es sei schlecht zu sehen gewesen, meinten sie und auch nur ganz kurz, sie hätten den Punkt am Horizont gleich wieder aus den Augen verloren. Aber jetzt lebte die Hoffnung. Also ging man daran, die Kanone zu justieren, und abwechselnd hielt ab sofort ein Mann Wache.

Drei Tage später sahen es dann alle: Draußen am Meer war ein Schiff. Die Freude war unbeschreiblich – schier als hätte man das Paradies geschaut. Und während die einen liefen, den Kranken auf ihren Lagern die gute Nachricht zu bringen, Trost zuzusprechen und sich gemeinsam Hoffnung zu machen, luden die anderen die Kanone. Der erste Schuß verhallte. Auf dem Schiff regte sich nichts. Man feuerte einen zweiten ab. Wieder nichts.

Auch allem Schreien und Winken zum Trotz behielt der Segler seinen Kurs bei. Auf der kleinen Insel schlug die Freude in Verzweiflung um. Warum hatte das Schiff nicht beigedreht? „Piraten und Freibeuter!“ seufzten die Männer.

Am nächsten Tag – es war der zehnte nach dem Schiffbruch – gab es die ersten Toten. Darunter war auch der Kapitän. Christoph Carl Fernberger hatte sich die letzten Tage um ihn gekümmert, sodaß dieser ihm die Reste seiner persönlichen Essensration vererbte. Obwohl die anderen das (mündliche) Testament kannten, gab es Streit. Es standen alle gegen einen.

„Entweder du rückst es freiwillig heraus oder wir nehmen's dir mit Gewalt!“ schrien sie im Chor.

Fernberger blieb nichts anders übrig, als nachzugeben – und mußte mitansehen, wie das bißchen Brot, das bißchen Käse und der wenige Fisch in absurd kleine, gleich große Rationen für alle geteilt wurden.

Tags darauf verließ Carl Christoph Fernberger das Lager in aller Frühe. Gemeinsam mit einem Kaufmann aus

Danzig machte er sich auf, das Riff abzugehen auf der Suche nach Eßbarem. An den rutschigen Felsen klebten einige Muscheln und zwischen den Klippen ließen sich sogar Fische sehen. Mit bloßen Händen versuchten die beiden, sie im seichten Wasser zu greifen – und tatsächlich hatten sie am Ende ein paar davon gefangen. Muscheln und Fische wurden gekocht und von den beiden einträchtig verzehrt – diese Beute mußte nicht mit den anderen geteilt werden.
Doch kaum war das Mahl vorüber, kippte die Stimmung. Im Lager waren wieder zwei Männer gestorben. Fernbergers Kamerad ließ seiner Verzweiflung freien Lauf. Dann stand er auf und ging. Er sollte nicht zurückkommen. Als man endlich nach ihm Ausschau hielt, fand man seine entstellte Leiche zwischen den Felsen. Er hatte sich von der Klippe gestürzt.
Am zwölften Tag durchbrach plötzlich Jubelgeschrei die Stille. Zwei Schiffe waren in unmittelbarer Nähe der Insel aufgetaucht. Doch ein Schuß nach dem anderen verhallte ungehört, wie es schien. Nach dem sechsten gaben die Männer auf. Da endlich – vom Meer wehte Kanonendonner herüber. Antwort! Doch nachdem der einzelne Schuß abgefeuert worden war, machten die beiden Schiffe keine Anstalten, auf die Insel zuzuhalten. Obwohl die Rettung zum Greifen nah war, so nah, daß man sogar die französischen Flaggen auszunehmen glaubte, mußten die Schiffbrüchigen mitansehen, wie die beiden Schiffe ungerührt vorübersegelten.
Unendlich langsam verging die Zeit. Schlechtes Wetter zog auf und machte es am nächsten Tag unmöglich, das Meer im Auge zu behalten. Wieder war ein Tag verstrichen.
11. Februar 1622. Als die Sicht wieder besser geworden war, wagten die Männer kaum, ihren Augen zu trauen: Fünf Schiffe! Ein Schuß nach dem anderen wurde abgegeben, schon ging das Pulver zu Ende. Dann, tatsächlich: Neben einem der Schiffe wehte Rauch auf und das Krachen einer Kanone war deutlich zu hören. Und dann – dem Himmel sei Dank! – drehte die ganze Flotte bei und ließ ihre Anker fallen.
Was für eine Freude! Was für eine Erlösung! Elend und Hunger, Verzweiflung und Entbehrungen waren darüber vergessen. An den Flaggen wurden die Schiffe als Holländer identifiziert – Freunde! Jetzt löste sich ein Boot vom Flaggschiff – es ruderte direkt auf die Männer zu. Alle liefen ihm entgegen, sogar die Kranken schleppten sich so gut es ging vor die Hütten, um es mit eigenen Augen zu sehen.
Das Boot kam näher, dann war es da. Dutzende Hände streckten sich den Bootsgasten entgegen.
„Wer seid Ihr? Woher kommt ihr?"
„Holländer! Aus Amsterdam!"
Heilloses Durcheinander brach aus. Man zeigte den Rettern den traurigen Rest der zerbrochenen *Hazewind*, schilderte das Unglück, den Sturm, den Schiffbruch, das Warten seither, fragte auch die anderen aus. Einige der Schiffbrüchigen kannten den Steuermann des Flaggschiffes, der vom Admiral zur Erkundung der Lage ausgesandt worden war. Dieser erzählte, die Flotte sei auf dem Weg zur Magellanstraße und das unwirtliche Eiland der Schiffbrüchigen gehöre zu Boa Vista, einer der Kapverdischen Inseln. Das bedeutete, daß der

Sturm die *Hazewind* unglaublich weit von ihrem Kurs abgebracht und hinaus in den Atlantik getrieben hatte.
Die Nachrichten schlugen ein wie ein Blitz: Freude auf der einen Seite, Niedergeschlagenheit auf der anderen. Die Magellanstraße jenseits des Ozeans – um Himmels willen! Trotzdem bestürmten die einen schon den Steuermann, er möge den Admiral bitten, sie mitzunehmen, ja machten Anstalten, gleich mit ins Boot zu klettern. Der Steuermann aber weigerte sich rundweg: „Zuerst müssen wir auf den Schiffen Meldung machen!" So stieß das Boot wieder von den Klippen ab und ließ die Schiffbrüchigen zurück. Unter den Männern herrschte Uneinigkeit.
„Ich will lieber hier sterben, als dort soviel Unglück auszustehen", sagte einer.
„Selbst wenn ich der ärgste Bube wäre – ich wollte nicht mitfahren!" rief ein anderer.
„Ich auch nicht!"
„Lieber warte ich auf andere Erlösung!"
Carl Christoph Fernberger hatte seine Wahl ebenfalls getroffen. Gemeinsam mit ein paar anderen hatte er sich vorgenommen, lieber alles zu erleiden, was Gott für die Männer dieses Geschwaders vorgesehen haben mochte, als hier auf dem Felsen langsam und schändlich zugrunde zu gehen. Falls man denn entschied, sie mitzunehmen.
Inzwischen hatte das Boot längst das Flaggschiff erreicht. Drüben herrschte wieder Ruhe. Die Zeit verging. Auf der Klippe war es ebenfalls still geworden. Keiner wandte den Blick von den fünf Schiffen. Zwei Stunden später war plötzlich Bewegung auszumachen – tatsächlich: Das Boot kam zurück.
„Wer uns begleiten und helfen will, die Reise zu vollenden, mag mitkommen", eröffneten die Seeleute kurz darauf den Schiffbrüchigen. „Ihr müßt euch aber wie alle anderen unter den Artikelbrief stellen. Dafür bekommt ihr regulären Sold, jeder nach dem, was er bedienen und arbeiten kann." Carl Christoph Fernberger trat vor und nahm die Bedingungen an, dreizehn andere wollten ebenfalls mitfahren. Die Gruppe hatte sich geteilt: Fünfzehn der Schiffbrüchigen blieben stehen:
„Eine so lange und weite Reise ..." – „Nein, sicher nicht." – „Lieber sterb' ich!"
Unter Tränen nahm man von den Kameraden, die hier bleiben wollten, Abschied. Selbst die Retter zeigten Mitleid und weinten. Allen zerriß es das Herz.
„Wir befehlen euch Gott an!" war das letzte, was man ihnen zurief, dann legte das Boot ab.
Wenig später war man am Flaggschiff angekommen. Die Schiffbrüchigen wurden an Bord geholt, unter Deck gebracht, mit frischem Zwieback und spanischem Wein verköstigt. Noch einmal klagten sie ihr Leid, und auch die neuen Zuhörer waren fassungslos angesichts ihres Unglücks und wunderten sich, wie lange sie ausgehalten und daß sie vierzehn Tage überlebt hatten.
Am nächsten Morgen stach die Flotte in See. Als die Segel gesetzt und die Anker aufgeholt waren, kam der Admiral aus seiner Kajüte an Deck. Die Schiffbrüchigen nahmen vor ihm Aufstellung. Der Reihe nach mußten sie vortreten. Jeden fragte der Admiral nach seinen seemännischen Fähigkeiten.
Als er bei Carl Christoph Fernberger angelangt war, mußte der zugeben: „Ich habe vorher nie auf einem Schiff

gedient, war nie auf See. Ich hab' nur einen Soldaten abgegeben, an Land, versteht sich."
Der Admiral horchte auf, er war neugierig geworden: „Woher kommst du? Und wie hat es dich hierher verschlagen?" Also erzählte Fernberger seine Geschichte und daß er eigentlich nach Venedig reisen wollte, als er sich eingeschifft hatte.
„Nach Venedig!" Der Admiral lachte. „Nun, nach Venedig wirst du hier wieder nicht kommen!"
Fernberger konnte die Sache nicht so heiter sehen. Zumindest ließ der Admiral ihn als Soldaten in die Schiffspapiere aufnehmen. Zwar galt er nur als einfacher Gefreiter und wurde bei mäßigem Monatssold kurz gehalten, doch wieder einmal hatte er keine andere Wahl.
Mit einem Bündel neuer Kleider, Segeltuchhosen und einem Matrosenhemd im Arm – ihre eigenen waren nach zwei Wochen zwischen Felsen und in brennender Sonne völlig zerschlissen – stiegen die Schiffbrüchigen in den Schiffsbauch hinunter, bekamen ihr Quartier zugewiesen und wurden darüber aufgeklärt, was es bedeutete, auf einem Schiff der Vereinigten Holländischen Provinzen Dienst zu tun.
Das holländische Geschwader nahm unterdessen wieder seinen alten Kurs auf. Allen voran segelte das Flaggschiff des Admirals, die *Goede Fortuin*. Sie war ein stolzes Schiff, genauso groß wie einst die *Hazewind* und mit acht Messinggeschützen und achtzehn eisernen Kanonen schwer bewaffnet. Ebenso groß und gleich ausgestattet war das Schiff des Vizeadmirals, die *Maagd van Dordrecht*. Dahinter segelte die *Enkhuizen*, etwa ein Drittel kleiner, das Schiff des dritten Flaggoffiziers. Die *Haring* und die *Dolfijn* vervollständigten die eindrucksvolle Flotte, beide kaum mehr halb so groß wie das Flaggschiff, aber immer noch mit je achtzehn Geschützen bestückt.
Eintausenddreihundert Mann waren in Holland an Bord dieser fünf Schiffe gegangen. Ihre Ladung bestand nur aus Proviant und Munition, ihre Order lautete, durch die Magellanstraße in das Südmeer vorzudringen. Dort sollten sie jene spanischen Galeonen, die alljährlich peruanisches Silber nach Europa brachten, abfangen, nach Möglichkeit kapern und den Schatz erbeuten. Sollte dieser Auftrag fehlschlagen, würde ihnen mit den holländischen Stützpunkten in Ostasien ein anderer Aktionsradius zugewiesen. Dann würden sie unter dem Kommando der *Vereenigden Oostindischen Compagnie* neue Befehle erhalten.

3. Kapitel

Vom Regen in die Traufe

Tags darauf hatte der Horizont die Inseln der Kapverden endgültig verschluckt. Ringsum dehnte sich wieder das Meer soweit das Auge reichte. Der Wind stand günstig, der Kurs der Flotte lag etwas südlicher als West. Die fünf Schiffe segelten in Formation und verständigten sich untereinander mit Flaggensignalen, denn der Admiral hielt ein ebenso strenges Regiment wie in der Kriegsmarine. Um sich in der Dunkelheit nicht aus den Augen zu verlieren, führte das Flaggschiff ein Hecklicht. Vorauszusegeln war bei einer Strafandrohung von fünfhundert Gulden verboten.

So begann die Reise über den Atlantik. Am nächsten Vormittag bekamen die Männer gleich eines seiner Wunder zu sehen: fliegende Fische. Zuerst tauchten nur einige über der Wasseroberfläche auf, dann wurden es plötzlich immer mehr. Heringen gleich bis auf die fledermausartigen Flügel. Man konnte sie eingehend studieren, denn etliche verirrten sich bei der Flucht vor den jagenden Raubfischen und landeten auf dem Schiffsdeck. Die Männer griffen zu. Zuerst mit bloßen Händen nach den noch zuckenden Leibern, später mit dem Messer; die seltsamen Tiere schmeckten gar nicht übel.

Trotzdem war es kein glücklicher Tag. Für zwei Kameraden waren Erschöpfung und Hunger zuviel gewesen, sie starben an diesem Nachmittag und wurden, eingenäht in ihre Decken, dem Meer übergeben. Noch während der Ze-

remonie mußte die entgeisterte Mannschaft mitansehen, wie ein riesiger Fisch über die unverhoffte Beute herfiel und den Leichnam des einen Gefährten vor ihren Augen verschlang.
In dieser Nacht kam wieder Sturm auf. Das Meer ging so hoch, daß sich die Schiffe in den Wellentälern verloren glaubten. Der Kontakt zum Rest der Flotte riß ab. Und dann war plötzlich überall Sand. Er fiel aus den Segeln, knirschte zwischen den Zähnen, brannte in den Augen. Die Seeleute fürchteten nahes Land. Woher sollte der Sand sonst stammen? Doch in Sturm und Dunkelheit sah man kaum die Hand vor Augen, wie sollte man so rechtzeitig eine Küste ausmachen?
Irgendwann war auch diese fürchterliche Nacht vorüber. Immer noch gingen die Wellen hoch, doch die *Goede Fortuin* segelte nach wie vor aufrecht und unbeschadet. Vom Rest der Flotte war nichts zu sehen. Dafür machte man gleich bei Tagesanbruch eine Leiche aus, die Wind und Dünung ganz nahe ans Schiff herantrugen, bis sie achteraus endgültig im Wasser versank. Jeder konnte sich ausmalen, daß der Mann von einem der Begleitschiffe stammte. Zumindest einige mußten also in der Nacht schneller vor dem Wind abgelaufen sein und segelten jetzt wohl voraus.
Im Laufe des Nachmittags flaute der Sturm langsam ab, und am nächsten Tag kehrte mit dem besseren Wetter auch wieder der Alltag auf dem Schiff ein, das immer noch alleine unterwegs war. Der Admiral nutzte die Gelegenheit, um über einen Dieb zu richten. Die gesamte Mannschaft hatte sich dafür an Deck versammelt, Christoph Carl Fernberger stand in der vordersten Reihe. Seine verschwundene Käseration war Auslöser des Verfahrens gewesen, der Tambour, sein Messekamerad, hingegen der Angeklagte, nachdem er sich in der turbulenten Nacht zu dem unüberlegten Mundraub hatte hinreißen lassen.
An Bord standen strenge Strafen auf jedwedes Vergehen gegen Mensch und Schiff und Obrigkeit. Und das spürte der unbedachte Schiffstrommler jetzt am eigenen Leib. In einer seltsamen Stimmung aus Ergötzen und Abschrekkung vollzog die Mannschaft das Urteil: Dreimal warfen sie den Delinquenten an einem Strick ins Meer und – nach angemessener Frist – zogen sie ihn dreimal wieder hoch. Den ersten Teil seiner Strafe hatte der Trommler damit überlebt. Der zweite Teil bestand darin, daß jeder seiner rund vierhundert Kameraden ihn mit drei ordentlichen Hieben bedachte, verabreicht nicht mit einer Peitsche, sondern mit einem dicken Tau, aber am Ende kaum weniger schmerzhaft.
Während der Nachmittag darüber verstrich, fanden sich auch drei der anderen Schiffe wieder bei der *Goeden Fortuin* ein. Vom vierten, der *Dolfijn*, fehlte hingegen weiter jede Spur.
Als am nächsten Tag die Sonne durch die Wolken brach, konnten die Steuerleute zum ersten Mal nach dem Sturm wieder die Position bestimmen. 8 Grad 12 Minuten Nord ergab die Messung. So weit war Fernberger vor knapp vier Wochen schon einmal gewesen.
20. Februar 1622. Sonntag! Die Seeleute hatten ihre Hemden gewaschen, und der Kapitän hielt entweder eine Andacht oder las den Männern ihre Rechte und Pflichten vor, aufgelistet in den schmuck-

losen Paragraphen des Artikelbriefes. Was Carl Christoph Fernberger zu hören bekam, war das offizielle Recht auf allen Schiffen der Generalstaaten und seiner Prinzlichen Exzellenz Mauritz von Nassau. Ein Recht, das er als schiffbrüchiger Neuzugang anzuerkennen geschworen hatte.

Auch wenn die Essensrationen eher ausreichend denn üppig waren und man mit dem Wein hier recht zurückhaltend war – er hätte es schlechter treffen können. Das einzige, was sich Fernberger dieser Tage so sehnlichst wünschte, war ein Krug.

Jedem Mann an Bord stand pro Tag eine Kanne Trinkwasser zu. Am Morgen wurden die Rationen verteilt. Doch da Fernberger nichts besaß, worin er Wasser hätte verwahren können, war er gezwungen, seine Ration bei der Ausgabe gleich direkt aus der Schöpfkelle zu trinken. Anschließend wurde das Wasserfaß bis zur nächsten Frühwache wieder fest verschalkt. In der Hitze des Tages litt Fernberger furchtbaren Durst. Und alle vierundzwanzig Stunden wiederholte sich das Spiel.

Fernberger war es leid. „Wenn doch ein Sterben übers Schiff käme …“, dachte er. „Nur, damit ich an einen Krug, einen Becher, irgendein Gefäß kommen könnt’…“

Auch wenn der unfromme Wunsch noch oft wiederholt wurde, seinen schalen Beigeschmack wurde Fernberger nicht los. Seinen täglichen Durst allerdings ebensowenig. Mochte er auch zuweilen darauf vergessen, wie an einem der nächsten Tage, als Wale die Schiffe begleiteten und die Seeleute damit unterhielten, turmhohe Wasserfontänen in die Luft zu blasen.

Eine Woche nach dem Seesturm tauchte auch die längst verloren geglaubte *Dolfijn* auf. Alles jubelte, das Geschwader war wieder komplett. Doch die Freude währte nur kurz. Schon am nächsten Abend braute sich über der Flotte ein schreckliches Gewitter zusammen. Zweimal schlug der Blitz dabei in die *Goede Fortuin* ein: Vier Seeleute starben, zwei oben im Großmast, zwei andere unten an Deck. Drei weitere Männer verloren in diesem Inferno einfach den Verstand. Ihre Kameraden packten sie in ihre Hängematten, nach Ablauf einer Woche waren auch sie tot.

Am nächsten Morgen tummelten sich an der Wasseroberfläche jede Menge Haie. Nach den Schrecken der Nacht reagierte sich die Mannschaft an den großen Fischen ab. Sie fingen, was sie fangen konnten. Nicht um sie zu essen – Haie fraßen Menschen und kamen daher als Proviant nicht in Frage – die Männer stachen ihnen die Augen aus und warfen sie lebend zurück ins Wasser. Einigen banden sie noch leere Fässer auf den Rücken, bevor sie sie johlend davonschwimmen ließen.

Doch das Vergnügen war auch für die Männer nur von kurzer Dauer. Tags darauf kam ihnen das Glück gleich wieder gründlich abhanden. Auf die fürchterlichen Stürme folgte jetzt eine tödliche Flaute. Als der Wind zu Mittag vollständig eingeschlafen war, hielten die Steuerleute die Position fest: 5 Grad 9 Minuten Nord. Die Schiffe hatten die äquatorialen Kalmen erreicht.

Ohne Fahrtwind wurde es unerträglich heiß. Die Luft war dick und schwer, das Wasser, das die Schiffe gefangen hielt, glatt und ölig. „Die große Stille“, raunten sich die Seeleute gegenseitig zu. Tage-

lang sogar wochenlang mochte der Wind hier ausbleiben. Auch auf den Schiffen hielt die Stille Einzug: Alle Befehle erübrigten sich, und die binnen kurzer Zeit völlig ermatteten Männer kauerten apathisch in irgendwelchen Ecken.
Alle litten Durst. Das Wasser war faulig geworden. Jedes Faß, das geöffnet wurde, stank erbärmlich und enthielt fast mehr Maden als Flüssigkeit. Wer davon trinken wollte, mußte sich vorher die Nase zuhalten – trotzdem wünschten sich die Männer nichts sehnlicher, als einmal mit dieser Brühe ihren Durst zu löschen.
Inzwischen bestand die tägliche Wasserration aus einzelnen Schlucken, Ausnahmen gab es unter diesen Umständen keine. Und doch war der quälende Durst für viele nicht das Schlimmste: Skorbut hatte die geschwächten Männer befallen.
Dieser Krankheit fielen damals die meisten Seeleute, die sich auf den Weg um den Globus machten, zum Opfer. Sobald die Vorräte an Gemüse verwelkt und die gebunkerten Zitrusfrüchte verschimmelt waren, zeigten sich die ersten Symptome. Gelang es dem Kapitän nicht, Ersatz zu beschaffen, verlor er die ersten Männer, und brach auch noch die regelmäßige Versorgung mit Essen und Trinkwasser zusammen, kam das große Sterben.
Allein auf Christoph Carl Fernbergers Schiff zählte man in den nächsten zehn Tagen hundertneun Tote. Viele davon waren verdurstet. So mancher wäre wohl mit einer halben Kanne frischem Wasser zu retten gewesen, meinten die Seeleute. Sie beklagten ihre verstorbenen Kameraden und waren froh, selbst zu den zäheren Naturen zu zählen.
Als nach einer Woche ein schwaches Lüftchen aufkam, nährte es die Hoffnung wieder. Schon kräuselte sich die See, klatschten die Segel – die Schiffe nahmen tatsächlich langsam Fahrt auf. Man schöpfte neuen Mut, selbst die Kranken, mit ihrem faulenden Zahnfleisch und der offenen Haut. Ohne Wind wäre ihnen nur mehr der Tod bevorgestanden, jetzt aber hatten sie zumindest eine Chance. Schließlich gab es bei Skorbut kein Heilmittel. Nur Pflanzenkost half, jedes grüne Kraut brachte Hilfe, ja selbst Gras hätten die Männer gierig verschlungen. Trotzdem ging das Sterben in den nächsten Tagen weiter. Hoffnung allein war auf die Dauer zu wenig.
Für die dezimierten und geschwächten Mannschaften war die alltägliche Arbeit auf den Schiffen inzwischen kaum mehr zu bewerkstelligen. Auf der *Goeden Fortuin* fiel einer völlig erschöpft von der Rah, die andern waren nicht in der Lage, ihn aus dem Wasser zu holen, bevor er versank.
Nach zwei Tagen matten Segelns tauchte in der Ferne ein Schiff auf. Ein Freibeuter! Der Admiral ließ gefechtsklar machen. Mit bangen Mienen sahen die Männer den Segler näher und näher kommen. Dann ging ein Aufatmen durch die Reihen: Das Schiff war eines der ihren, das in den letzten Tagen den Anschluß verloren hatte. Auch der Ausguck, abgespannt und kraftlos wie alle anderen, hatte es nicht gleich erkannt. Einen Kampf hätte die Mannschaft kaum gewonnen.
An diesem Tag wurde auf der *Goeden Fortuin* nicht mehr geschossen, am nächsten jedoch fuhr man die Kanonen nach dem Mittagessen für ein feierliches

Seebegräbnis aus: Der Zahlmeister war den Strapazen nicht mehr gewachsen gewesen. Drei Schüsse Salut, dann warf man seine sterblichen Überreste über Backbord ins Meer.

Es sollte einer der letzten Toten gewesen sein. Der Wind ließ die Flotte jetzt nicht mehr im Stich und trieb sie in Richtung rettende Küste. „4 Grad Nord“ hieß es schon am nächsten Tag, „1 Grad Nord“ am übernächsten.

Doch noch bevor Land in Sicht kam, machte der Ausguck ein Schiff aus. Ein Holländer! Die *Haring* war auf der Rückfahrt von Mauritius und hatte Ebenholz geladen. Seit neun Monaten waren ihre Männer auf See. Begierig, die neuesten Nachrichten aus Europa zu erfahren, ließ der Eigner des Schiffes sein Boot klarieren und sich zur *Goeden Fortuin* übersetzen.

Dort war der Kaufmann höchst willkommen, denn sein Gastgeschenk bestand aus fünfhundert Gold-Äpfeln, Pomeranzen, die sofort auf die Schiffe verteilt und an die Männer ausgegeben wurden. Vielen der Kranken rettete das frische Obst das Leben. Fernberger war einer von ihnen. Schon seit Tagen hatte auch er ein offenes Geschwür am Fuß. Und er war sicher gewesen, keine zehn Tage mehr durchzuhalten. Nun aber halfen drei Bitterorangen, ihn zu kurieren. Nach wenigen Tagen war er völlig gesund. Ebenso seine Kameraden. Jetzt kehrte die Lebensfreude aufs Schiff zurück, und wer Freunde in Holland hatte, nutzte noch schnell die Gelegenheit, um der *Haring* Briefe zu übergeben, bevor diese wieder ihre Segel ausschüttete und ihre Heimreise fortsetzte.

Auch das Geschwader machte sich wieder auf den Weg. Es war der 9. März, und man hoffte, bereits am nächsten Tag die Insel Annobon südlich des Äquators anzusteuern. Zu Mittag tauchten die Vulkankegel des kleinen Eilands auch schon am Horizont auf. Wenige Stunden später landete das erste Boot am niedrigen Strand und kehrte am Abend voll beladen mit aberhundert weiteren Pomeranzen zurück.

Die siebenköpfige Backschaft von Christoph Carl Fernberger war die nächste Gruppe, die noch vor Einbruch der Nacht übersetzte. Angeführt vom bisherigen Gehilfen des Zahlmeisters, nun zum eigentlichen Wächter über Vorräte, Sold und Proviant an Bord aufgestiegen, drangen die Männer in das Dikkicht des tropischen Waldes ein, bis ihnen endlich befohlen wurde, stehenzubleiben. Daraufhin hieß man sie, sich einen Sack um den Leib zu binden und in die umstehenden Bäume zu klettern. Als dann die Dämmerung anbrach und die Sonne sich anschickte, binnen Minuten unterzugehen, schlug die Stunde der Jäger: Tausende Vögel kehrten jetzt zur Nachtruhe auf die Bäume zurück. Die braunen Tölpel, groß wie heimische Krähen, setzten sich auf die Äste unmittelbar neben die Männer, manche kamen sogar direkt auf der einen oder anderen Hand zu sitzen. Es waren die ersten, denen der Hals umgedreht und die eingesackt wurden. Auf diese Weise fing jeder an die zwanzig Vögel, dann waren die Säcke voll.

„Als ich das letzte Mal hier war“, erzählte der neue Zahlmeister Christoph Carl Fernberger auf dem Rückweg, und mußte bei der Erinnerung auflachen, „habe ich gemeinsam mit vier anderen Männern über tausend von ihnen gefangen“. Die Vögel schmeckten hervor-

ragend, jeder auf dem Schiff konnte sich später selbst davon überzeugen.
Trotzdem war die Jagd noch nicht beendet. Die Seeleute gingen den Strand ab – und es dauerte nicht lange, so fanden sie, was der Zahlmeister gesucht hatte. Die Schildkröte war so groß, daß sich einer aus Jux auf ihren Panzer stellte, dann ein zweiter, und selbst ein dritter hatte noch Platz, und immer noch ging das Tier seiner Wege. Noch mehr Proviant aber konnte das Boot gar nicht fassen, also griffen alle zu und drehten die Schildkröte auf den Rücken. Man ließ sie liegen und am nächsten Morgen von einem anderen Boot abholen. Auch das Schildkrötenfleisch fand an diesem Tag Anhänger in der gesamten Mannschaft.
Tags darauf lichtete die Flotte ihre Anker. Durch frisches Fleisch und Pomeranzen waren die Männer nahezu alle kuriert. Auf der *Goeden Fortuin* hatte sich die Zahl der Krankgemeldeten auf vier reduziert. So machte man sich fröhlich auf, die Reise zu vollenden.
Noch in derselben Nacht schlief der Wind ein. Zehn Tage, drei Tote und keine halbe Meile später, konnte die Fahrt wieder fortgesetzt werden.
Es war nur eine schwache Brise, die jetzt einsetzte, trotzdem schob sie die Flotte sicher über die imaginäre Linie. „Recht unter der *Linea Aequinoctionalis*“, meldete der Navigator nach der Standortbestimmung dem wachhabenden Offizier. Die Sonne stand senkrecht über ihren Köpfen. Alle atmeten auf. Keine Stürme mehr, in denen die Wellen haushoch gingen und jedes Jahr viele Schiffe hilflos sinken ließen. Keine Flauten mehr, die oft bis zu zehn Wochen die Schiffe gefangenhielten, sodaß sie langsam in den Golf von Guinea trieben, aus dem es oft monatelang kein Entrinnen gab und wo der Skorbut fürchterlich umging. Keine giftige Luft mehr, kein unreines Trinkwasser, durch das sich so mancher Würmer einfing, die sich unter der Haut einnisteten und ellenlang werden konnten. Auf der *Goeden Fortuin* gab es einen, der hatte gleich vier davon. Man durfte die Parasiten nicht abreißen, sie wurden Tag um Tag ein Stück weiter über ein kleines Hölzchen herausgewunden. Sonst drohten fürchterliche Schmerzen. Jede Stelle des menschlichen Körpers konnte betroffen sein – die Schwarzen der Region wußten das. Es gab kaum jemanden, der hier nicht an Bilharziose litt.
Am Tag bevor der Wind und das Glück zur *Goeden Fortuin* und ihren vier Begleitschiffen zurückkehrten, hatte einer das alles nicht mehr ertragen. Vor den Augen seiner entsetzten Kameraden sprang er plötzlich auf und fing an, Gott aufs Allerschrecklichste zu lästern – offenbar vom Teufel besessen. Zwei Tage später war er tot.
Die folgenden drei Wochen blieb man von jeglicher Aufregung verschont. Auch zu sehen gab es in diesen Tagen wenig: Einmal ließ sich ein Sturmvogel am Großmast nieder, dann zog ein eleganter Fregattvogel („Briefträger“ der Seeleute, denn die Vögel wurden gezähmt wie Brieftauben eingesetzt) vorbei. Und irgendwann spielten noch zwei Wale um die Schiffe, von denen einer den Rumpf der *Goeden Fortuin* touchierte und sich seine Flanke verletzte. Und der einzige Befehl, der dieser Tage aus dem üblichen Rahmen fiel, war die Anweisung, daß jene, die schon wieder Anzeichen von Skorbut zeigten, nicht mehr das allge-

meine Wasserfaß benutzen sollten. Tagein, tagaus spulte die Flotte ihre Meilen ab und die Seeleute ihren Alltag zwischen Schlaf, Wache und Freiwache.
Am 14. April jedoch kam Land in Sicht. Seit der Mittagstunde, als die Breitenmessung eine Position von 23 Grad 24 Minuten Süd ergeben hatte, war die Mannschaft in heller Aufregung. Dreiundzwanzigeinhalb Grad, das bedeutete: Wendekreis des Steinbocks. Bei dem konstanten Südwest-Kurs, den die Flotte seit dem Golf von Guinea gehalten hatte, mußte sie den Atlantik bereits überquert haben. Und am Abend erschien es dann wirklich, nicht nur für den Ausguck im Mast zu sehen, sondern auch für alle anderen an Deck: Land! Brasilien. Amerika. „Dem Himmel sei dank, es ist geschafft!"
An dieser Stelle hieß die Neue Welt *Cabo Frio*. Trotzdem war es am „Kalten Kap" jetzt angenehm warm. Auch als man weitersegelte und die Küste an Steuerbord wieder im Wasser versank, blieb die Stimmung an Bord anhaltend gut, schließlich wußte man jetzt Land gleich hinter dem Horizont.
Fünf Tage später brachte der schnurgerade Kurs die Flotte wieder an die Küste Brasiliens und die Insel São Sebastião in Sicht. Auf den Schiffen brach hektische Betriebsamkeit aus. Man verständigte sich darüber, die Insel anzulaufen, um den Mannschaften eine Atempause zu verschaffen und die Schiffe zu überholen. Beides konnte kaum länger warten, so viele Kranke gab es inzwischen wieder und so schwer waren die Rümpfe mittlerweile mit Muscheln, Bohrwürmern und Algenbärten behangen.
Wenige Stunden später schaukelten die Schiffe friedlich an ihren Ankerketten. Die Flotte war in die windgeschützte Bucht zwischen Insel und Festland eingelaufen, wo der sandige Boden guten Halt bot und das seichte Wasser ideal für die anstehenden Arbeiten war. Vor ihnen lag die Insel, unbewohnt zwar, aber mit frischem Wasser und gutem Holz reichlich versorgt, hinter ihnen die brasilianische Küste, wo nachts Feuerschein die Lager der Indios anzeigte.
Zuerst wurden die Kranken an Land geschafft. Auf der Insel richtete man ein improvisiertes Lazarett ein, frische Luft und Sonne pflegten der Heilung förderlicher zu sein als das Klima in den Schiffsbäuchen. Ein Jammer, wie viele es am Ende waren. Fernberger schmerzte es, sie anzusehen.
Dann kümmerte man sich um die Schiffe. Während sich die Mannschaften den Rümpfen widmeten, rief der Admiral Kapitäne und Offiziere zu sich. Bei den hohen Verlusten, die das Geschwader bislang erlitten hatte und angesichts der unzähligen Kranken, mußte eine Entscheidung getroffen werden. Viel zu diskutieren gab es nicht mehr: Die einsatzfähigen Männer konnten die Schiffsführung nicht mehr bewältigen, eines der Schiffe würde man daher aufgeben und verbrennen müssen.
Die entsprechenden Anordnungen waren rasch erteilt: Das Los war auf die *Haring* gefallen, jenes der beiden Lastschiffe, das in deutlich schlechterem Zustand war. Aus ihrem Holz sollte noch eine kleine Schaluppe als Beiboot gebaut werden, ihre Besatzung und ihre Kanonen waren auf die verbliebene Flotte nach Bedarf zu verteilen.
Vier Wochen später, das Boot war inzwischen fertig, die restlichen Befehle ebenfalls längst umgesetzt, lag die Flotte im-

mer noch in der Bucht hinter der Insel São Sebastião, als sich am Meer draußen ein Segel blicken ließ. Eine Handvoll Männer, darunter Christoph Carl Fernberger, sprang in die neue Schaluppe, setzte Segel und ging auf Abfangkurs. Ihr Ziel entpuppte sich rasch als kleines einheimisches Boot und war bald eingeholt. Sechs Indios waren an Bord. Die Schaluppe hatte kaum beigedreht, da sprangen die sechs ins Wasser und suchten ihr Heil in der Flucht.

„Venid acá!“ rief einer in seinem besten Spanisch, „Kommt her, hierher!“

Keine Reaktion. Nicht einer wandte den Kopf oder machte Anstalten, der Einladung Folge zu leisten. Fernberger legte sein Muskete an, zielte und schoß. Der Mann, den er getroffen hatte, ging kurz darauf ohne einen Laut in den Wellen unter. Die anderen schwammen weiter zügig auf die Küste zu.

Zurück blieb das verwaiste Boot. Darin fanden sich getrockneter Fisch, grüner Tabak und an die dreißig Kokosnüsse. Allen Anzeichen nach waren die Indios unterwegs zum Markt in São Vicente gewesen, ein gutes Stück weiter südlich. Die Schaluppe nahm den kleinen Transporter ins Schlepptau und brachte die Beute zurück zum Lager. Die höchst willkommene Fracht wurde augenblicklich im Lazarett verteilt.

So sicher die Reede hinter São Sebastião auch sein mochte, sie hatte ganz unbestritten ihre Nachteile. Inzwischen hatte sich gezeigt, daß die Männer sich hier nicht erholen konnten, auch wenn man anstelle des längst fauligen Wassers frisches gebunkert hatte. Denn außer Quellwasser bot die Insel nichts zur Verpflegung. So war das Lazarett in den letzten Wochen auch nicht gesundgeschrumpft, im Gegenteil: Fünfundzwanzig Männer waren dort inzwischen gestorben, Dutzende weitere aber erst krank geworden. Hier konnte man nicht bleiben.

Der Schiffsrat wurde einberufen. Vom Umkehren war die Rede. Auch davon, die Insel Sankt Helena weit draußen im südlichen Atlantik anzusteuern. Schlußendlich fiel die Entscheidung, trotz allem auf der geplanten Route weiterzufahren. Vier Tage danach war das Lazarett abgebaut, die Kranken auf die verbliebenen Schiffe verteilt, und die Flotte stach mit Kurs Ost-Süd-Ost wieder in See. Es war der 24. Mai des Jahres 1622.

Zwei Tage später kam die Insel Prara in Sicht. Christoph Carl Fernberger hörte, wie der Steuermann sagte, sie hieße allgemein nur „die Schöne“. „Den Namen hat sie“, erklärte dieser, „weil sie allezeit so grün ist. Es gibt auch reiche Quellen da, die ins Meer laufen. Aber man kann nur schlecht landen, und es gibt keinen guten Ankergrund.“ Auch das Wetter auf Prara ließ zu wünschen übrig: Von brütender tropischer Hitze berichtete der Steuermann, der schon zweimal dort gewesen war, und von heftigen Gewittern mit Regen, Donner und Blitz.

Inzwischen ging die Fahrt nach Süden zügig voran. Bei etwa 26 Grad Süd sichtete man wieder Land, genaugenommen eine riesige Flußmündung. Der Rio de la Plata! Den hatte der sonst mit der Gegend wohlvertraute Steuermann offenbar noch nie zu Gesicht bekommen, denn in Wahrheit richteten sich alle Blicke an Bord auf die ebenfalls recht weitläufige Baía de Paranaguá. Der scheinbar endlose Rio de la Plata hingegen wartete weiter südlich auf die Seefahrer.

Noch immer durchpflügte die Flotte die Wasser des *Mare Ethiopicus*. Auch wenn Afrika längst weit im Osten lag, pflegten Seeleute wie Kartographen den gesamten südlichen Atlantik so zu bezeichnen. Erst dort, wo entlang der schmäler werdenden Spitze Südamerikas beidseits die kalten Meeresströmungen aufstiegen, endete das warme „Afrikanische Meer". In wenigen Tagen würde die Flotte in diese andere Zone überwechseln, noch aber erfreuten sich die Mannschaften weiterhin an dem vielen seltsamen Getier, das der Atlantik beherbergte und beäugten nach wie vor merkwürdige Fische, die die Strömung an den Schiffen vorüberspülte.

Der 8. Juni begann wie jeder der vorangegangenen Tage auf See. Am Morgen wurde das Flaggschiff geschrubbt, bis der diensthabende Offizier „Klar Deck überall!" meldete, zu Mittag wurde die Sonne geschossen, was an diesem Tag die Messung von 27 Grad 22 Minuten Süd ergab. Nur am Nachmittag ereignete sich Außergewöhnliches. Zunächst war den meisten gar nicht klar, was sich da eigentlich vor ihren Augen abspielte, nach und nach aber kam Licht in die Sache.

Der Schiffsbarbier hatte eine Meuterei angezettelt und versucht, das Schiff zu übernehmen. Sein Spießgeselle dabei war der Kellermeister. Gemeinsam hatten sie in den letzten Tagen acht weitere Unzufriedene vom Vorschiff rekrutiert. Für die kommende Nacht war die Übernahme des Schiffes geplant gewesen. Diejenigen der Mannschaft, die wohl nicht gemeinsame Sache mit ihnen machen würden, planten die Verschwörer dabei zuallererst ums Leben zu bringen. Dann wäre die ganze Masse der leicht aufzuwiegelnden Seeleute gegen eine Handvoll Offiziere gestanden. Im letzten Moment war der böse Plan ans Licht gekommen, weil einer vom Kern der Meuterer seinem Kameraden die Sache auseinandergesetzt hatte. Dieser, eine ehrliche Haut, wollte nichts damit zu tun haben und ging schlußendlich zum Admiral, um die Meuterei anzuzeigen.

Das eigentliche Handgemenge war dann kaum der Rede wert, im Handumdrehen waren die zehn Meuterer ergriffen und festgesetzt worden. Angesichts der Umstände gaben die Verschwörer sofort klein bei und gestanden freimütig.

Am Tag vier nach der vereitelten Meuterei wurden die Urteile gesprochen und vollstreckt: Barbier und Kellermeister, die beiden Rädelsführer, knüpfte man an der Rah auf, bis der Tod eintrat. Zwei weitere Verschwörer sahen dem Tod im Meer ins Auge: Man warf sie über Bord. Einer davon hatte sein Lager bis vor kurzem noch neben Christoph Carl Fernberger gehabt. Bevor man diesen ins Wasser stieß, fand er noch Zeit, Fernberger zuzuraunen:

„Das weißt du wohl, daß du der erste gewesen wärst, der hätte dran glauben müssen, wenn wir das Schiff übernommen hätten? Denn wir alle wissen, daß du einer bist, der auf der Seite des Admirals steht!"

„Und Gott hat uns in seiner Gnade vor euch bewahrt", konnte dieser noch erwidern, dann ging der Halunke in den Tod.

Die noch verbliebenen sechs Meuterer waren jung, dumm und vom Enthusiasmus der anderen überwältigt worden. Die Mannschaft stellte sich hinter sie und erbat durch einen Fußfall beim

Schiffsrat das Leben ihrer Kameraden. Der Umstand, daß die Zahl der arbeitsfähigen Seeleute längst sehr niedrig lag, trug letztlich wohl dazu bei, daß diese Bitte gewährt wurde.

Das Wetter blieb in den nächsten Wochen weiterhin gut, der Wind stand günstig und wehte stet. So ging die Reise nun schnell vonstatten. Der Juni ging, es kam der Juli, und die Breitenmessungen des Steuermanns näherten sich schon der 40-Grad-Marke. Bald würden sie die Zone der beständigen Westwinde dieser Breiten erreichen, die eisigen, brüllenden Vierziger, dahinter die rasenden Fünfziger. Trotzdem ging das Sterben am Schiff unausgesetzt weiter. Sieben einfache Matrosen und den Hauptmann der Seesoldaten verlor die *Goede Fortuin* dieser Tage.

Am 10. Juli sichtete der Ausguck gegen Abend wieder Land. Niemand kannte die Küste. Die Steuerleute konsultierten die Seekarten. Nichts. Auf dieser Position war kein Land verzeichnet. Nun ließ der Admiral die Schaluppe klarmachen, sie sollte vorsegeln und das Terrain erkunden. Die Flotte strich einstweilen die Segel und wartete beigedreht im tiefen Wasser. Wenige Stunden später war die Schaluppe wieder zurück und meldete, daß es eine Insel mit einer guten Reede wäre. Schon in der Dämmerung warfen die vier Schiffe daraufhin den Anker. Seit dem verzweifelten Aufbruch von São Sebastião waren fünf Wochen vergangen.

Der nächste Tag war der Erkundung der fremden Insel gewidmet, und der schwer bewaffnete Spähtrupp brachte erfreuliche Nachrichten zum Schiff zurück: gutes Wasser, viele Seehunde. Christoph Carl Fernberger hatte gleich auf eines der Tiere am Strand angelegt und es auch getroffen, doch der Seehund war ins Wasser geflüchtet und entkommen. Nun griffen sich drei der Männer armdicke Prügel und marschierten los. Da sie von den Seehunden zunächst nicht beachtet wurden, erschlugen sie im Handumdrehen dreizehn Tiere und kehrten mit der beachtlichen Beute zurück zu den Schiffen. Für die erschöpften Mannschaften war das frische Fleisch ein notwendiges Labsal. Obwohl es streng nach Fisch roch, war das fette Robbenfleisch recht delikat. Die Männer hielten die Tiere selbst aber für einen abscheulichen Anblick: groß wie englische Hunde, nur nicht so hoch, mit einer langen Mähne gleich den Löwen und Füßen wie Fischflossen. „Sie haben jeden Monat Junge", erzählte einer, der es zu wissen schien, „und säugen sie dann wie Hunde."

Noch während des warmen Essens brach auf der *Enkhuizen* ein Feuer aus. Offenbar war aufgrund einer Unachtsamkeit das Kombüsenfeuer außer Kontrolle geraten. Bevor die Besatzung reagieren konnte, stand bereits das gesamte Deck in Flammen. So trieben die Offiziere die Männer nur mehr in die Boote, das Schiff mußte man verloren geben. Auf der *Goeden Fortuin* hatte man ebenfalls alle Hände voll zu tun, um das Übergreifen der Flammen zu verhindern, denn die *Enkhuizen* hing in Rufweite in Luv an ihrem Anker, und der Wind wirbelte Funken und Fetzen von brennendem Segeltuch bis ins Rigg des Flaggschiffes. Irgendwann aber war es dann vorbei – was von der *Enkhuizen* übriggeblieben war, versank still und geisterhaft im Meer.

Am nächsten Morgen brachen die verbliebenen drei Schiffe des Geschwaders, gefolgt von der kleinen Schaluppe, zu einer nahe gelegenen Insel auf: *Insula Pinguinis* hieß sie auf der Seekarte, und als Fernberger mit der ersten Gruppe an Land ging, stürzte er sich mit bloßen Händen auf die Tiere, die der Insel den Namen gegeben hatten. Wieder war der Fang beachtlich: Hundertzwanzig Pinguine hatte der Trupp erwürgt und zweitausend Eier aus den Nestern im Sand ausgegraben. Beim Essen später stellte sich heraus: Pinguine schmeckten enttäuschend tranig und fischig, die Eier kaum besser.

Während die Mannschaften am nächsten Tag damit beschäftigt waren, ihre Proviantfässer mit eingesalzenen Pinguinen zu füllen, erhielt Fernbergers Backschaft die Erlaubnis, zur nahen Küste Patagoniens zurückzusegeln. Wie üblich schwer bewaffnet mit Messer und Muskete. Der Trupp schlug einen Weg ins Landesinnere ein und blieb erst stehen, als vor ihm drei grasende Büffel auftauchten. Für einen Schuß blieb keine Zeit, denn aufs Anschleichen hatte man sich nicht verstanden, und sobald die Büffel die Männer witterten, stoben sie davon.

Gegen Abend aber war Fernberger das Glück wieder hold: Schon auf dem Rückweg zum Boot sah er unter einem Baum einen großen Vogel sitzen. Eine Weile wunderte er sich über dessen schier unglaubliche Größe, als er dann schoß, traf er so gut, daß der Vogel nicht einmal mehr aufstehen konnte. Zwei seiner Kameraden waren nötig, um das schwere Tier zum Strand zurückzutragen. Dort hievte man es ins Boot, und zurück am Flagschiff überreichte es die gesamte Backschaft dem Admiral, mit besten Wünschen.

Hocherfreut wies ihr Kommandant seinen Koch an, den Strauß für sich und die Offiziersmesse zu braten. Als kleine Aufmerksamkeit für das willkommene Fleischgericht schickte der Admiral zur Essenszeit den Männern ein Stück als Kostprobe und Fernberger eine Extraportion Käse als Dank für den wohlgezielten Schuß. Der seltsame Vogel war zwar ordentlich zäh, mundete allen aber ausgezeichnet.

Nachdem der erste Ausflug beim Schiffsrat so gut angekommen war, konnte Fernberger es wagen, auch am nächsten Tag mit der Bitte, seine Backschaft vom Dienst zu entbinden, beim zuständigen Offizier vorstellig zu werden. Der gab die Erlaubnis, und so winkte ihnen wieder ein freier Tag an Land.

In zwei Gruppen aufgeteilt, gingen die Männer auf die Jagd. Als nach kurzer Zeit zwei Strauße erlegt waren, setzte man sich zum gemeinsamen Essen und machte sich mit großem Appetit über den ersten der Vögel her, der inzwischen am Stück gebraten worden war. Danach setzte die Backschaft gemeinsam die Erkundung des Landes weiter fort. Plötzlich tauchten einige Patagonier vor ihnen auf. Ihr Aussehen war erschreckend: Große schwarze Männer, mit rot bemalten Gesichtern, ihre Haare waren lang und wirr und auf der Brust hatten sie sich ebenfalls gelb und rot gefärbt. Jeder trug einen langen dünnen Speer in der Hand. Fernberger griff sich seine Muskete und ging forsch auf sie zu, seine Kameraden folgten ihm mit lautem Geschrei. Da verließ die wilden Männer der Mut, und sie fingen an zu laufen.

„Sie flüchten wie Hirsche vor dem Jäger!"
Einer von ihnen verlor bei der Flucht seinen Speer. Fernberger rannte hinter ihnen drein und holte sich die exotische Waffe.
Nach diesem Abenteuer zu Lande wandte sich die Gruppe wieder dem sicheren Meer zu und marschierte ein Stück der Küste entlang. Auch dieser Weg erwies sich bald als lohnend, denn die Männer waren noch gar nicht weit gegangen, als sie auf Gräber stießen. Es waren wohl Grabstätten des Volkes, von dem sie vorhin einige Menschen gesehen hatten: zu Haufen getürmte rote Steine, in denen oben Pfeile steckten, auf einigen mehr, auf anderen weniger. Aufgrund der Pfeile tippte man auf Soldatengräber, und schon ging man daran, eines davon genauer zu untersuchen. Stein um Stein räumten die Männer ab und gruben, bis sie auf einen halb verwesten Leichnam stießen. Der lag nicht in seinem Grab, sondern hatte mit angezogenen Beinen darin gesessen.
Der Rest des Tages ging wieder mit Straußenjagd hin – einer recht erfolgreichen Jagd, denn man kehrte mit insgesamt drei Vögeln zum Flaggschiff zurück. Diesmal landete das Fleisch in den Schüsseln der Belegschaft des Krankenreviers, dem Admiral wurde dafür der Speer überreicht, den Fernberger mitgebracht hatte. Die Gegengabe bestand in einem Extrastück Käse für jeden der Ausflugsteilnehmer.
Letztendlich holte der Schiffsdienst aber auch Fernbergers Backschaft wieder ein, und am folgenden Tag sahen auch sie das Land nur von weitem und schufteten wie die anderen den ganzen Tag zwischen Fässern, Salz und abgezogenen Pinguinen.
Tags darauf stach die Flotte wieder in See, dreitausend eingesalzene Pinguine mit an Bord, die die Verpflegung für die nächsten Wochen sicherstellen würden. Doch das Glück hatte sie offenbar verlassen: Widrige Winde trieben die Schiffe vor der Küste Südamerikas wie Spielzeuge auf und ab, bald ging es nach Süden, dann wieder zurück nach Norden. Kalt war es inzwischen geworden, wie im tiefsten Herbst, und ebenso schlecht war das Wetter: Ständig peitschten Regen- und Graupelschauer übers Deck und machten die Arbeit der Seeleute zur Qual. Währenddessen schmolzen die Vorräte, und die Zahl der Kranken wuchs an und bald auch die der Toten.
Sieben Wochen später traf der Schiffsrat die Entscheidung, ein weiteres Schiff aufzugeben. Diesmal traf es die *Dolfijn*. Ihre verbliebenen Männer mußten zur Verstärkung auf die *Goede Fortuin* und die *Maagd van Dordrecht*, die ebenfalls schwer unterbesetzt war, übersiedeln. Die kleine Schaluppe war mit wenigen Händen leicht zu segeln, sie wollte der Admiral auf jeden Fall für Erkundungsfahrten behalten. Als Offiziere und Mannschaft von Bord gegangen waren, bohrten der Schiffszimmermann und sein Gehilfe mehrere Löcher in den Rumpf. Kurz darauf war die *Dolfijn* mitsamt ihrer achtzehn Kanonen in den Wellen versunken.
Inzwischen war es Mitte September geworden, und noch immer war die Flotte meilenweit von ihrem eigentlichen Ziel entfernt. Als die Steuerleute zu Mittag des 12. bei offenem Himmel endlich wieder Gelegenheit hatten, die Sonne zu schießen, errechneten sie eine Breite

von 54 Grad Süd. Der Befund erschreckte alle, die sich auch nur ein bißchen auf Navigation verstanden. Mit vielsagenden Mienen wurde den anderen die schlechte Nachricht beigebracht: Sie befanden sich schon viel zu weit im Süden, südlich der Einfahrt zur Magellanstraße, waren vor den bösen Winden ablaufend unbemerkt daran vorbeigetrieben ...

Die Magellanstraße. Die schwierige, gefährliche, aber einzig schiffbare Passage in den Pazifik. Vorbeigefahren. Und der Wind bließ sie weiterhin gnadenlos nach Süden. Und nun? Für die Steuerleute gab es nur eine Alternative: Die Spitze von Südamerika außen zu runden, durch die Le-Maire-Straße und am Kap Hoorn vorbei.

„Nur ein einziges Schiff hat diese Passage bisher geschafft", erzählte einer unter Deck denen, die es wissen wollten. „Ein einziges, das muß jetzt wohl fünf, sechs Jahre her sein. Sein Kapitän hieß Le Maire, Jacob Le Maire. Ein Holländer aus Hoorn, daher hat die Straße den Namen und auch das Kap. In Gottes Namen müssen wir nun eben das nächste Schiff sein, das diese Fahrt vollbringt."

Auf diese Nachricht hin zog Christoph Carl Fernberger Bilanz: Vor zehn Monaten war er in Holland an Bord der *Hazewind* gegangen, seitdem war alles, wirklich alles, ganz anders gekommen, als erwartet. Immerhin hatte er durchgehalten und überlebt – denn allein in der Schiffsrolle der *Goeden Fortuin* standen zu diesem Zeitpunkt schon zweihundertfünfzig Tote.

Abermals kam Sturm auf. Das hohe, schneebedeckte Land, das man auf 54 Grad Süd eben noch gesehen hatte, verschwand achteraus gleich wieder unter dem Horizont. Wieder zwang ihnen der Wind die Richtung auf – diesmal jedoch zeigte ihr Bug nach Norden.

Zwei Tage später erschien an Backbord neues Land. Der Sturm hatte kaum nachgelassen, noch immer liefen die *Goede Fortuin*, die *Maagd van Dordrecht* und die kleine Schaluppe in ihrem Lee vor dem Wind ab. Erst als man die Bergspitzen zur Linken schon fast passiert hatte, erkannten die Steuerleute das Kap: „*Capo Virginum*! Das muß das Kap der Elftausend Jungfrauen sein – Himmel! – Es ist nur vier Meilen entfernt!"

Das Cabo de las Virgenes markierte die Einfahrt zur Magellanstraße auf der Atlantikseite. Hier war die ersehnte Passage, doch der Wind zwang die kleine Flotte auf einen ungünstigen Kurs, drohte sie fast an die Küste zu drücken. Mit einer Wende retteten sich die Schiffe und hielten hinaus aufs offene Meer. Die Passage hatten sie zum zweiten Mal verfehlt.

Achtundvierzig Stunden später bekamen sie ihre dritte Chance. Der Sturm war in der Zwischenzeit abgeflaut, und der Wind wehte nur mehr mit dem üblichen heftigen Fauchen dieser Breiten. Die Steuerleute hatten wieder einen Kurs absetzen können, auf dem die Schiffe jetzt zügig segelten. Am Mittag des 17. September wurde bei der Höhenmessung 52 Grad 20 Minuten Süd als Standort errechnet. Jetzt hielt man genau auf die Einfahrt zu. Alle Augen hingen gebannt am Küstenverlauf, wo sich die ersehnte Meerenge öffnete.

Der Admiral rief die Schaluppe zu sich und ließ sie voraussegeln. Auch von den beiden großen Schiffen aus sah man deutlich, daß an Land Menschen auf-

tauchten. Die Schaluppe hielt auf sie zu, daraufhin kam Bewegung in die Leute. Was genau sich abspielte, war nicht zu erkennen. Also rief ein Kanonenschuß des Flaggschiffs den Tender wieder zurück zum Geschwader.
„Es waren etliche Schwarze", berichtete die Mannschaft wenig später, „völlig nackt, nur mit umgehängten Ledermänteln. Im Gesicht waren sie rot bemalt. Als sie gesehen haben, daß wir auf sie zuhalten, haben sie sofort mit Bogen auf uns geschossen. Erreicht haben uns die Pfeile freilich nicht."
Mit diesen Informationen gewappnet, steuerten nun alle Schiffe auf die Einfahrt zur Magellanstraße zu. Hinter dem Kap der Jungfrauen öffnete sich zunächst eine weitläufige Meeresbucht. Später wurde die Straße enger und dann plötzlich so schmal, daß die Matrosen anfingen zu beten: „Daß Gott, der Allmächtige uns vor einem Sturm bewahren wolle ...!"
In der folgenden Nacht schlief niemand viel. Jeder hielt Wache und Augen und Ohren offen. Gegen Mitternacht gab die *Maagd van Dordrecht* einen Signalschuß ab. Der Admiral schickte die Schaluppe zu ihr zurück. Bange Minuten verstrichen. Nach einer halben Stunde war die Schaluppe wieder da und berichtete, was sich auf dem Begleitschiff abgespielt hatte: Zunächst hatten sie Grund berührt und waren schließlich aufgelaufen. Alle Versuche, das Schiff wieder flott zu bekommen, scheiterten kläglich, sodaß sie schließlich die Kanone abfeuerten. Daraufhin waren sie allein durch Gottes Gnade – soviel stand fest – wieder freigekommen.
Die Tage vergingen, während die Straße ihr Aussehen nur wenig veränderte. Zwar wurde die Durchfahrt immer wieder breiter, und es zeigten sich Buchten, sogar ein mächtiger Golf im Süden, doch dann verengte sich die Fahrrinne wieder zu furchterregenden Klüften. Die Ufer blieben größtenteils steil und unwirtlich, Menschen waren keine mehr zu sehen. Die kleine Schaluppe leistete gute Dienste als Vorhut, brachte Muscheln von den reichen Bänken am Ufer und lotste die beiden größeren Schiffe sicher durch die gefährlichen Passagen.
Sechzehn Tage später, am 2. Oktober, sichtete der Ausguck das Cabo Deseado. Längst zeigte der Bug wieder Richtung Nordwest und die Landspitze an Backbord voraus verkündete endlich das Ende der Strapazen. An Deck drängte sich die Mannschaft an der Reling, um einen Blick auf das „ersehnte" Kap zu werfen. Hier, an ihrem Ausgang, war die Magellanstraße vergleichsweise breit, die Steuerleute bestätigten ihre erfolgreiche Durchfahrt zu Mittag mit einer Höhenmessung, dann segelten die drei Schiffe mit einem vielstimmigen „In Gottes Namen!" hinaus in den Pazifik.

4. Kapitel

Wie es sich mit dem Krieg zur See verhält

Fröhlich segelten die Schiffe erneut die Breitengrade ab, diesmal in Richtung Norden, der Wärme zu. Das Land zu ihrer Rechten hatte sich in unzählige Inseln aufgefächert, dahinter verschwanden die Gipfel von schneebedeckten Bergen im nebeligen Dunst. Am 19. Oktober kam das chilenische Festland in Sicht. Der Admiral ließ auf beiden Schiffen gefechtsklar machen.

Die Stückmannschaften lösten die schweren Brocktaue der Kanonen, um sie auszurennen, und nahmen die Wergpfropfen aus den Rohren. Zunder und Kugeln wurden bereitgelegt. Die Soldaten prüften die Feuersteine ihrer Musketen und ihr Pulver, die Matrosen befreiten das Kanonendeck für die Schlacht von ihren Seekisten, die in die unterste Schiffslast wanderten und schlugen an der Reling die Schanzkleider an. Am Großmast wehte jetzt die Flagge des Prinzen von Oranien, und achtern hißte man die Blutflagge zum Zeichen der bevorstehenden Gefechte.

Auch wenn das ursprüngliche Geschwader ein weitaus eindrucksvolleres Bild holländischer Kampfkraft abgegeben hätte, machten selbst die beiden verbliebenen Kriegsschiffe an Land gehörig Eindruck. Während sie längs der Küste nach Norden segelten, tauchten am Ufer immer wieder berittene spanische Truppen auf, die ihren Gegner sofort erkannten und daraufhin Anstalten trafen, den Strand zu sichern, als ob sie mit einem direkten Angriff rechneten.

Doch der Admiral hatte nicht vor, unbedeutende Dörfer und Stellungen anzugreifen. Noch begnügte er sich damit, Flagge zu zeigen.
Tags darauf erreichte die kleine Flotte Mocha, eine einzelne große Insel gut zehn Seemeilen vor der Küste und ging vor Anker. Gemeinsam mit seinen Kameraden bereitete sich Christoph Carl Fernberger auf den Landgang vor. Dann wurden auf beiden Schiffen die Boote ausgesetzt, die die fünfzig Männer und den Zahlmeister der *Goeden Fortuin* an den Strand brachten. Als die ersten den Fuß an Land setzten, erschienen die Bewohner. Es waren etwa dreißig Männer, die ihre Köpfe zur Erde neigten und Geschenke brachten: Wurzeln. Für jeden der Besucher eine. „In Indien nennt man sie *Batates*", sagte Fernbergers Nebenmann, „Süßkartoffeln. Sie schmecken gut, wenn sie gekocht sind."
Danach trat einer der Araucaner-Indianer vor. Auf spanisch bat er, seinen unbewaffneten Leuten nichts anzutun, worauf der Zahlmeister die üblichen Messer und Korallen als Gegengeschenke verteilte. Da das Zusammentreffen so erfolgreich und friedlich verlief, knüpfte man trotz der Sprachschwierigkeiten Gespräche an. Fernberger etwa fragte den, der sich als Sprecher der Gruppe hervorgetan hatte, zunächst nach der Art ihres Glaubens und bekam zur Antwort, die Sonne herrsche hier über alles. Dann nach der erlaubten Anzahl von Frauen. „So viele sich einer leisten kann", gab sein Gegenüber zu verstehen, man würde dafür Schafe und Hühner geben, manchmal sogar ein Stück Silber. Für Silber konnte man außerdem Kinder kaufen.
Die Einladung ins Dorf ließ nicht lange auf sich warten. Fernberger und seine Backschaft folgten ihrem Gesprächspartner durchs Gebüsch, bis sie vor den kleinen Strohhütten standen, etwa zweihundert mochten es insgesamt sein. Als die Männer ankamen, liefen die Dorfbewohner zusammen, umringten sie und starrten sie unverhohlen an. Den Besuchern wurde bedeutet, sich zu setzen. Etliche der Frauen gingen vor ihnen auf die Knie, aber nur, um sie auf Augenhöhe in Augenschein zu nehmen. Neugierig faßten sie ihnen an Nase, Wangen und Kinn und wußten dazu offensichtlich viel zu sagen. Dann wurden ausgehöhlte Kürbisse gereicht. Fernberger konnte das Getränk darin kaum probieren, so stark war es. Sein Kamerad hingegen leerte seinen Kürbis zügig und meinte: „Es macht dir den Kopf voll, wie Wein."
Für Gäste gab es hier gewöhnlich mehr als nur einen Willkommenstrunk aus vergorenen Fruchtsäften, und tatsächlich gaben die unverheirateten Frauen den Besuchern bald deutlich zu verstehen, wie zugetan sie ihnen waren. Angesichts der nackten Tatsachen wollten einige der Männer die Flucht ergreifen, die anderen hingegen schienen geneigt, zu bleiben.
Als man sich schließlich voneinander verabschiedete, trat jeder aus der Backschaft den Weg zurück unter etlichen Liebesbezeugungen an und mit einem zusätzlichen Gastgeschenk, bestehend aus drei Kürbissen und zwei Hühnern.
Am Strand kamen die anderen unterdessen mit ihrem regen Tauschhandel zu einem Ende. Schwer beladen legten die Boote schließlich ab. Fernberger fand es erstaunlich, wie großzügig man zu ihnen gewesen war und wie freigie-

big sich die Leute zeigten, wo das Land doch karg und steinig war und wenig abwarf.
Wieder zur Zufriedenheit mit frischen Vorräten versorgt, lichteten die Schiffe am nächsten Tag die Anker und nahmen erneut ihren alten Kurs entlang der chilenischen Küste auf. Ein ordentlicher Wind, der auch die Nacht durchstand, verhalf ihnen zu einer schnellen Fahrt nach Norden, sodaß schon am folgenden Tag die Insel Santa Maria in Sicht kam, bereits auf 37 Grad Süd. Hier bog der Küstenverlauf kurzfristig nach Osten und bildete einen großen Golf, etwas weiter noch lag dann ein Hafen der Spanier, die Stadt Concepción.
Auf der *Goeden Fortuin* wurde daraufhin eine Einheit Soldaten in die Schaluppe abkommandiert. Der Tender sollte voraussegeln und den Golf inspizieren. Es dauerte nicht lange, da sahen Fernberger und seine Kameraden auf der Schaluppe eine spanische Barkasse, die auf die Küste zuhielt. Als das offene Boot sie bemerkt hatte, versuchte es zu fliehen, doch die Schaluppe setzte ihr nach, und bald fielen auch die ersten drohenden Musketenschüsse. Als sich die beiden Boote auf Rufweite genähert hatten, riefen die Holländer auf spanisch: „Para! Para!“
Da die Schaluppe offensichtlich schneller war und die Flucht damit aussichtslos, kam die Barkasse dem Befehl, anzuhalten, schließlich nach. „Perdonen, Señores!“ schallte es dabei herüber. „Gnade, Ihr Herren!“
Schon kam die Schaluppe längsseits, warf die Segel los und die ersten Soldaten sprangen auf das Boot über. Der Schiffspatron war ein alter Mann, offenbar Christ. Ihn nahm man zunächst gefangen, dann wurde das Boot einer Überprüfung unterzogen. Zwölf Einheimische als Mannschaft förderte die rasche Bestandsaufnahme zutage, sowie fünfzig Hühner, zehn Schweine, Mehl und Speck als Ladung.
Christoph Carl Fernberger hatte den Patron in der Zwischenzeit gemustert, der Gestalt nach war er kein Spanier. Versuchsweise sprach er ihn auf deutsch an: „Woher seid Ihr gebürtig?“
„Aus Brüssel“, gab der Mann ebenfalls auf deutsch zurück.
Als Fernbergers Kameraden das hörten, packten sie den Alten und machten Anstalten, ihn über Bord zu werfen. Fernberger stellte sich ihnen in den Weg und bat für ihn: „Laßt ihn uns zuerst zum Admiral bringen“, schlug er vor, „er soll entscheiden, was mit ihm geschieht.“
Mit gefesselten Händen wurde zunächst der Eigner des Bootes an Bord der Schaluppe gebracht, danach seine Mannschaft und seine Ladung. Die Beute im Schlepptau, machte der schnelle Segler wenig später am Flaggschiff fest und entlud stolz seinen Fang.
Für die Barkasse, die auf dem Weg in die Stadt Arauco am Scheitel des Golfes gewesen war, hatte der Admiral keine Verwendung, sie wurde versenkt. Die Mannschaft teilte man auf, sechs willkommene Matrosen für die *Goede Fortuin*, sechs für die *Maagd van Dordrecht*. Mit dem erbeuteten Proviant war schnell ebenso verfahren, dann trat zuletzt der Schiffseigner vor den Admiral.
„Für den Patron hat er hier gebeten“, sagten die anderen und ließen Christoph Carl Fernberger vortreten, „sonst hätten wir ihn ins Wasser geworfen.“
„Jetzt kannst du beweisen, daß es nicht stimmt, was die Leute über dich sagen,

daß du nämlich in Wirklichkeit ein Freund der Spanier bist!" forderte ihn der Admiral auf.
„Ich habe nur für ihn gebeten, weil er ein Christ und ein alter Mann ist", gab Fernberger zurück. „Außerdem mag er Euch gute Dienste als Lotse leisten, er kennt die Gegend hier sicher genau."
Der Admiral brauchte nicht lange, um seine Entscheidung zu treffen: „Du bist persönlich für den Alten verantwortlich, paß' gut auf ihn auf, denn wenn er flieht, kommst du an seiner Stelle in die Eisen." Dann verschwand er wieder in seiner Kajüte, den neugewonnenen Lotsen nahm er mit.
Christoph Carl Fernberger blieb an Deck zurück. Ihm war alles andere als wohl bei diesem Handel und der Wendung, die die Sache nun genommen hatte. „Wär' ich nur ruhig gewesen und hätte geschwiegen", wünschte er sich im Stillen.
Als der alte Mann aus der Achterkajüte entlassen worden war, bedankte er sich zunächst bei seinem Lebensretter. „Sorg' Dich nicht meinetwegen", sagte er schließlich und versuchte Fernbergers offensichtliche Zweifel zu zerstreuen. „Ich habe nicht vor, Dich ins Unglück zu stürzen."
Völlig ausgeräumt waren Fernbergers Bedenken und Unbehagen damit nicht. Fürs erste aber führte er seinen Schützling unter Deck und wies ihm eine Bettstatt neben der seinen zu. So hatte er ihn zumindest immer in seiner Nähe. Und außerdem hatten die beiden ausgiebig Gelegenheit, sich zu unterhalten.
„Wie bist du eigentlich hierher gekommen?" fragte Fernberger.
Es war eine kurze Geschichte, die sein Gegenüber erzählte: Trabant am Hof von Brüssel sei er gewesen, einfacher Hausdiener. Durch ein Mißgeschick hatte er einen Mann erstochen und war für zwölf Jahre in den Garnisonsdienst nach Peru verbannt worden. „Mehr als dreißig Jahre bin ich inzwischen hier, und ich sage dir, ich hab' kein Verlangen, in mein Land zurückzugehen. Ich hab' hier Frau und drei Kinder."
Über die Gegend konnte er Fernberger genau Bescheid geben, ebenso kannte er den Küstenabschnitt, der schon hinter ihnen lag: Die große Insel Chiloé, wo vor allem mit Schafen gehandelt wurde, und landeinwärts am Festland die spanische Garnisonsstadt Osorno, die nie zur Ruhe kam, das große Villarrica, wo größtenteils Spanier wohnten und dann natürlich Valdivia, wo der spanische Gouverneur residierte. Seinem Vorgänger hatten die Einheimischen vor zwanzig Jahren die Herrschaft abgenommen und die Stadt zerstört, Don Emanuel aber hatte die spanische Kontrolle wieder hergestellt.
Wie zuvor, mieden die holländischen Schiffe auch auf ihrer weiteren Route nach Norden die großen spanischen Städte. Vorbei an Concepción und Valparaíso steuerten sie erst wieder den Hafen Quintero an. Die kleine spanische Garnison dort staunte nicht schlecht, als am nächsten Morgen einhundert Seesoldaten und fünfzig Matrosen landeten – und blieben angesichts dieser Übermacht wohlweislich verschanzt. So zog die Schiffsmannschaft unbehelligt an den Spaniern vorbei und machte sich auf den Weg ins Hinterland. Nachdem sie auf den saftigen Weiden an die fünfzig Stück Kühe und Ochsen zusammengetrieben hatten, trat der Zug den Rückweg an.

Diesmal jedoch sah sich die spanische Garnison genötigt, einzugreifen und jagte den Holländern ihren Lebendproviant fast zur Gänze wieder ab. Am Ende traten immerhin zehn der Rinder mit ihnen die Seereise an.

Unterstützt von Wind und Strömung, machten die Schiffe schnelle Fahrt. Schon drei Tage später tauchte an der Küste die Stadt Arica auf. Die Nacht verbrachte man auf Reede, denn dort schaukelte ebenfalls eine große spanische Karacke. Bei Tagesanbruch schickte der Admiral die Schaluppe vor zur vermeintlich leichten Beute. Als die Entermannschaft aufs Schiff sprang, stellten sie bald fest, daß es verlassen war. Verlassen – und vollkommen leer. Aufgebracht steckten die Männer das Schiff in Brand. Das Feuer lockte die Einwohner von Arica an den Strand, aber auch dort herrschte eigentlich gähnende Leere, einige einheimische Sklaven waren zu sehen und kaum mehr als eine Handvoll Spanier.

Trotz der ersten Enttäuschung beschloß der Schiffsrat, auf der Reede zu bleiben und dem nächsten spanischen Schiff, das den schwach besetzten Hafen anlaufen sollte, aufzulauern. Am nächsten Morgen tauchte das erste fremde Segel auf, doch es war nur ein kleines einheimisches Boot, das die Schaluppe im Handumdrehen aufbrachte. Die Besatzung, bestehend aus einigen einheimischen Indianern, war längst über Bord gesprungen, sodaß die Männer mit der Ladung vorlieb nehmen mußten. Sechzig große Krüge mit Wein wechselten den Besitzer, das Boot ließ man treiben.

Gut zwei Wochen später gab der Admiral das Warten auf. Seit dem kleinen Weintransporter hatte sich kein einziges Schiff mehr blicken lassen. So nahm man am 25. November Abschied von Arica und steuerte gerade wieder hinaus aufs Meer, als eine hübsche Fregatte über der Kimm auftauchte. Sie wäre gerne geflohen, doch der Wind stand günstig für die beiden großen Holländer, die schnell vorankamen. An die Reling der *Goeden Fortuin* gelehnt, sah Christoph Carl Fernberger deutlich, wie auf der Fregatte die Beiboote ausgesetzt wurden, um die Mannschaft in Sicherheit zu bringen. Offenbar hatte man sich entschlossen, dem mächtigen Feind Schiff und Ladung kampflos zu überlassen. Die letzten sprangen über Bord und versuchten, schwimmend das Land zu erreichen.

Im Näherkommen sah man plötzlich Rauch über der Fregatte aufsteigen. Der Kapitän hatte wohl Feuer legen lassen, um den Holländern die sichere Beute doch noch vorzuenthalten. Sofort wurde jetzt die schnelle Schaluppe vorgeschickt, gefolgt von zwei weiteren kleinen Tendern. Als die Boote an der Bordwand der brennenden Fregatte anhakten, stürmten die Männer das Schiff.

Rasch war es ihnen gelungen, den Brand zu löschen. Der Lohn für die Mühe war zufriedenstellend: Wohl einhundert Sack Mehl fanden sich in der Last, daneben Zucker, Sirup, Marmelade und etliche Bottiche mit Schweineschmalz. Als alles sicher auf die *Goeden Fortuin* und die *Maagd van Dordrecht* geschafft war, hackten die Männer tief unter der Wasserlinie ein Loch in den Rumpf der Fregatte. Und unter dem Triumphgeheul der Sieger versank das stolze Schiff vor den Augen der ganzen

Stadt und ihrer ehemaligen Besatzung im Meer.
Zwei Tage später hatte der kräftige Wind die frisch gestärkten Holländer bereits vor die Küste von Lima gebracht. Im Hafen lagen sechs große Kriegsschiffe vor Anker. Sollte die Kunde aus Arica die Hauptstadt des Vizekönigreiches Peru bereits erreicht haben? Vorsichtshalber beschloß der Admiral, die Reede zu meiden und sich zurückzuziehen, noch bevor man auf sie aufmerksam geworden war.
Was man in Lima nicht gewagt hatte, fand am nächsten Tag in einem kleinen Hafen namens Paita statt: Zweihundert Soldaten und einhundert Matrosen setzten über an Land und rückten auf das dazugehörige Städtchen vor. Etliche Verteidiger erschienen auf der Bildfläche, wurden aber von der ersten Salve der Angreifer in die Flucht geschlagen. So nahm man das Städtchen ein. Die rund einhundertfünfzig Häuser und das bemerkenswert schöne Rathaus wurden völlig ausgeplündert, zerstört und anschließend in Brand gesteckt. Hab und Gut der Einwohner und der Schatz der Stadt in Form von ungeprägtem Silber schlugen für die Ostindische Handelskompagnie mit rund zwanzigtausend Talern zu Buche – eine schöne Summe, die noch größer gewesen wäre, wenn die Offiziere ihre Trupps besser im Auge behalten hätten – denn wer konnte, hatte sich in einem günstigen Moment ein wenig von dem Silber in die eigenen Taschen gesteckt. Auch Christoph Carl Fernbergers Barschaft hatte sich an diesem Tag gemehrt.
Nach dem Überfall beeilten sich die Holländer, den Hafen zu verlassen und wieder die offene See zu gewinnen. Man konnte wohl davon ausgehen, daß die geflüchtete Garnison bald mit Verstärkung zurückkommen würde, legte aber keinen Wert auf dieses Aufeinandertreffen.
Auch als drei Tage später wieder die Küste am Horizont auftauchte, war die Hochstimmung auf den Schiffen kaum abgeflaut. Ihr nächstes Ziel war eine große Insel nahe am Festland. Puna besaß landeinwärts eine gute Reede, und dort warfen die Holländer in aller Ruhe Anker. Unbehelligt setzte das Landungskommando über, diesmal genügten zweihundert Mann. Etwas landeinwärts fanden sie eine große Hazienda. Zuerst erreichten sie die Baumwollfelder, dann die elenden Hütten der Sklaven, sechzig zählte Fernberger, und schließlich das prächtige Herrenhaus. Alles stand leer, kein Mensch war zu sehen. Offenbar war ihnen ihr Ruf inzwischen tatsächlich vorausgeeilt. Der spanische Hausherr hatte sich mitsamt Volk und Besitz rechtzeitig in Sicherheit gebracht. So blieben nur die Häuser. Wie die Heuschrecken fielen die Männer dort und in den dazugehörigen Garten ein und machten sich über Granatäpfel, Pomeranzen, Zitronen, Kürbisse, Melonen und Weintrauben her. Zum Abschluß legte man noch Feuer im Lagergebäude auf der Rückseite.
Von Puna ging die Reise in deutlich gemächlicherem Tempo weiter. Sichtlich brauchte man nichts zu fürchten, im Gegenteil – ihr räuberisches Treiben hatte inzwischen gehörig Angst und Schrecken verbreitet.
Trotzdem vergingen die nächsten Tage auf den beiden Schiffen nicht ungetrübt. Anstatt den Meeresgolf zu verlassen, hatte die Flotte Zuflucht in einer

Flußmündung gesucht, um endlich wieder frisches Wasser zu bunkern. Zwei Monate dauerte ihre strapaziöse Fahrt entlang der südamerikanischen Küste nun schon, es war der 3. Dezember, und inzwischen befand sie sich knapp südlich des Äquators. Viele Männer hatten die letzten Wochen nicht überlebt. Hundertvierundsechzig Tote zählte Fernberger bislang. Wieder war die Mannschaft so dezimiert, daß es höchste Zeit wurde, sich von einem Schiff zu trennen. Vom urspünglichen Geschwader war nur mehr das Schiff des Vizeadmirals übriggeblieben. So trat die *Goede Fortuin* mit ihrer Schaluppe die Weiterfahrt alleine an, während die auf den Strand gesetzte *Maagd van Dordrecht* in Flammen aufging.
Die *Goede Fortuin* hatte den Golf von Guayaquil jedoch erst verlassen, nachdem ihre Schaluppe die Werften der Spanier in Brand geschossen und dabei zwei bis auf Masten und Ruder fertiggestellte Schiffe zerstört hatte. Daraufhin segelte man weiter nach Norden und querte am 18. Dezember – „Gottlob mit gutem Wind“ – zum zweitenmal den Äquator. Auf diesem Küstenabschnitt war nichts zu holen gewesen, auch hatten sie hier nichts befürchten müssen. Und so blieb es, den ganzen Weg bis nach Panama.
Die Stadt Panama sah schon von weitem trefflich aus, große Augen machten die Matrosen aber nicht nur der Bauten wegen. Aus ganz Chile und Peru kamen die Schiffe des Königs von Spanien hierher, voll beladen mit Silber und erlesenen Waren. In Panama wurden die Ladungen gelöscht, auf Esel, Pferde, Maultiere verladen und fünfundzwanzig Meilen über Land an die Atlantikküste verfrachtet. Dort, in Nombre de Dios, wurde alles wieder auf Schiffe verladen. Diese Flotte segelte dann mit den Schätzen aus der Neuen Welt nach Europa zurück.
Für die *Goede Fortuin* und ihre Besatzung bot sich in Panama keine Gelegenheit, reich zu werden – unverrichteter Dinge hißte man wieder die Segel und setzte die Fahrt nach Nordwesten fort.
Am 24. Dezember wurde Fernberger des führenden Hafens von ganz *Nova Spania* ansichtig: Acapulco. Hier liefen die Schiffe von und nach den Philippinen ein und aus. Einmal im Jahr brachte die „Manilagaleone“ Seide für Silber, denn über diese Route wickelte Spanien den Handel mit China ab. In den Hafen einzulaufen hielt der Admiral allerdings nicht für geraten. Und auch seine Mannschaft fürchtete sich davor, unvermutet auf eine feindliche Übermacht zu treffen.
Genau dieses Schicksal sollte am Christtag ein anderes Schiff ereilen. Eine unglückliche Fregatte war, ehe sie die drohende Gefahr erkannte, der *Goeden Fortuin* gefährlich nahe gekommen – und schon war es für jede Flucht zu spät. Die Besatzung sprang in die Boote, überließ das Schiff den Wellen und kurz danach den neuen Besitzern. Die an Bord gegangene Entermannschaft der *Goeden Fortuin* fand den Laderaum voll mit allerlei Tuch, Baumwollstoffen und Leinwand – nur Eßbares fanden sie nichts. So ließ der Admiral die Wasserfässer der Fregatte an Bord schaffen, um wenigstens den Durst seiner Männer zu stillen. Das Schiff steckte man in Brand. Zorn und Enttäuschung verflogen. Was blieb, war der Hunger.
Vier Wochen später wurde die Situation dramatisch. Koch und Kellermeister hat-

ten nichts mehr auszuteilen, die allerletzte Ration war die des Vortages gewesen. Es war der 22. Jänner des Jahres 1623. Wie durch ein Wunder tauchte in diesem Moment eine kleine Insel auf. Doch einige Stunden später war klar, daß man sie beim gegenwärtigen Nordwestwind nicht anlaufen konnte. An diesem Tag begann die Mannschaft, gekochtes Leder zu essen.

Um Tumulte zu vermeiden, wurde alles Leder an Bord aufgeteilt, jeder bekam seine Ration und keiner sollte mehr bekommen als sein Kamerad. Darauf achteten die anderen genau. Der Admiral versuchte, den Männern Mut zu machen. Die eigentliche Mission hatte man nicht erfüllen können, den Plan, die spanische Silbergaleone aufzubringen, mußte man wohl als gescheitert ansehen. So wurde es jetzt Zeit für die anderen Befehle ihrer Order: Die Garnison der V.O.C. in Ostasien zu verstärken. Auf zu den Molukken!

Aber auch dieser Weg war weit. Die Gewürzinseln, wo Nelken und Muskatnüsse wuchsen, lagen am anderen Ende des Ozeans. Nach zwei Tagen hatte die *Goede Fortuin* mit einem weiteren Problem zu kämpfen: Sie leckte. In den letzten vierundzwanzig Stunden waren die Männer pausenlos an den Pumpen gestanden, trotzdem ließ sie sich nicht mehr lenzen. Das Wasser im Kiel stieg beständig. Wieder schickte ihnen der Himmel zu ihrer Rettung eine Insel. Und diesmal konnten sie das flache Eiland ansteuern und an einer guten Stelle Anker werfen.

Die Insel war menschenleer – überhaupt hatten die Seeleute noch nie von ihr gehört. Erst der Navigator fand sie nach langem Suchen auf seiner Karte. Die einzigen Bewohner schienen Schildkröten zu sein. Davon aber gab es genug, und alsbald hatte die Mannschaft ihren Hunger gestillt. Tags darauf schoß einer sogar ein Krokodil, die Männer fanden, es schmecke so herrlich wie Truthahn.

Nach fünf Tagen, der Rumpf war inzwischen neu kalfatert und wieder dicht, Vorräte und Wasser gebunkert, ging die *Goede Fortuin* wieder unter Segel. Die Stimmung an Bord hätte kaum besser sein können. Drei Tage später geschah es: Am 1. Februar – die Spitze der kalifornischen Halbinsel an Steuerbord in Sicht – stieg an Backbord eine Segelpyramide über die Kimm. Auf der *Goeden Fortuin* hob augenblicklich Geschrei an, das umgehend den Admiral aus seiner Kajüte lockte. Der schalt seine Männer zuerst, befahl dann dem Rudergänger, auf das Schiff zuzuhalten und blickte jetzt ernst in die Runde: „Wir werden dieses Schiff angreifen“, sagte er, „haltet euch ordentlich und schlagt euch ehrenhaft.“ Auf eine Handbewegung hin brachte sein Koch einen Sack Brot an Deck. „Ich schwöre euch, das ist der letzte. Und jetzt stärkt euch und dann alles klar zum Gefecht!“

Der Gegner machte keine Anstalten zu fliehen. Auf seinem Großmast wehte eine Flagge, die ihn ebenfalls als Admiralitätsschiff auswies. Sein Kurs zeigte, daß er von den Philippinen kam. Im Näherkommen stellte die Mannschaft noch weitere Einzelheiten fest: Ihr Gegenüber war augenscheinlich erst vor kurzem vom Stapel gelaufen: neu und rank und wendig. Außerdem etwa doppelt so groß wie die *Goede Fortuin*. Trotzdem eröffneten die Holländer das Feuer, sobald das gegnerische Schiff in Schußweite war.

Der erste Gruß der beiden schweren Bugkanonen wurde von der anderen Seite sofort erwidert: vier Kanonenschüsse, die auf dem Deck der *Goeden Fortuin* drei Tote zurückließen. Zwei weiteren Männern waren die Beine abgetrennt worden. Jetzt antwortete die gesamte Steuerbordbatterie mit einer gezielten Breitseite. Drüben hörte man das Holz krachen. Trotzdem feuerte der Gegner ebenfalls eine ganze Salve ab. Die Mannschaft der *Goeden Fortuin* zog die Köpfe ein – doch die meisten Kugeln gingen zu hoch. Bevor die Stückmannschaften drüben ihren Fehler wieder gutmachen konnten, erreichte die *Goede Fortuin* ihre Beute. Wie hungrige Wölfe fielen die Seesoldaten über den Gegner her: Allein mit Äxten und Säbeln in den Händen enterten die Männer das Deck und machten alles nieder, was sich ihnen noch in den Weg stellte. Kurz darauf schien es, als hätte Christoph Carl Fernberger gemeinsam mit dreiundzwanzig seiner Kameraden das Schiff bereits übernommen, als sie von der Achtergalerie aus wieder mit Kanonen beschossen wurden. Fünf von ihnen brachen blutüberströmt zusammen, die anderen sprangen über Bord. Fernberger sah noch, wie zwei weitere Männer neben ihm im Wasser erschossen wurden, dann traf ihn etwas am Kopf.

Nachdem man ihn aufgefischt hatte, erlebte er den Rest des Kampfes nur mehr als Zuschauer. Die *Goede Fortuin* wendete, fiel ab und feuerte ihre Backbordbreitseite ab. Drüben brach Geschrei aus. Jetzt hatte die *Goede Fortuin* ihren offensichtlich manovierunfähigen Gegner dort, wo sie ihn haben wollte. Wieder legte sie Ruder, nahm Fahrt auf, kam zurück und beharkte den zerschossenen Rumpf der Länge nach mit ihrer Steuerbordbatterie. Den Geräuschen nach mußte der Schaden enorm sein. Das Ergebnis ließ nicht lange auf sich warten: Eine weiße Fahne wehte achtern aus, begleitet von einem vielstimmigen „Perdonen Señores!“.

Der Rest war reine Formsache: Offiziere und Mannschaft des Spaniers wechselten auf die *Goede Fortuin*, erstere in standesgemäße Quartiere auf Ehrenwort, die Männer hingegen ins Kabelgatt am untersten Deck und hinter Schloß und Riegel.

Daraufhin inspizierten die Holländer ihren Fang: Auf dem Schiff fanden sie siebzehn Tote und weitere vier, die nicht mehr lange zu leben hatten – sie wurden allesamt ins Meer geworfen. Im Laderaum zählte man die Vorräte: Drei Fässer mit eingesalzenem Speck waren darunter und hundertfünfzig Töpfe Marmelade, dazu etliche Bottiche mit Kokosnußöl. Die Ladung selbst war ebenfalls wertvoll und bestand aus hundert Tuchballen Baumwolle, dreißig Ballen Rohseide und sechs Truhen voll mit Seidenstoffen. Die Achterkajüte barg darüberhinaus noch sechs Pfund ungeschlagenes Gold.

Nach getaner Arbeit erhielten die Männer ihren gerechten Lohn und plünderten die Seemannskisten der Mannschaft. Bis alle Habseligkeiten und Pretiosen verteilt waren, war es längst Abend geworden.

Die Nacht verbrachten die Männer der *Goeden Fortuin* zum Großteil ebenfalls auf dem erbeuteten Schiff. Während die Männer sich über die Branntweinvorräte hermachten und ihren Sieg begossen, stahl sich Christoph Carl Fernberger leise davon. Er ging direkt zur Kapitänskajüte und sah sich um. Jedes Fach nahm er unter die Lupe, jede Truhe. Dann machte sich seine Ausdauer plötzlich bezahlt: In einem Balken der Vertäfelung war eine Nische eingeschnitten worden, Fernberger öffnete die Verkleidung und fand dahinter eine kleine Schatulle. Als er das Kästchen öffnete, gingen ihm die Augen über: Drinnen lagen sechs ungeschliffene Diamanten, einer davon bemerkenswert groß und schön.

Schnell nahm Fernberger den wertvollsten Stein an sich, schloß das Schatzkästchen, versteckte es wieder hinter der Vertäfelung und schlich sich zurück in die Runde seiner Kameraden. Niemandem war seine Abwesenheit aufgefallen. Seinen Fund behielt er für sich.

Am nächsten Morgen wurden die Spanier wieder auf ihr völlig ausgeräumtes Schiff zurückgebracht. Unter dem übermütigen Gejohle der Holländer mußten sie ihre Kanonen eigenhändig über Bord werfen und bekamen anstelle ihres Navigators, für den der Admiral selbst Verwendung hatte, Proviant für fünf bis sechs Tage ausgehändigt. So ging das Rendezvous der beiden Schiffe zu Ende.

An diesem Tag ließ der Admiral anständige Rationen für die Besatzung ausgeben: Nach langer Zeit gab es wieder Käse, Bier und Rosinen nach dem Essen. Danach wurde die Beute geteilt. Jedes Besatzungsmitglied wurde der Reihe nach aufgerufen, trat vor und erhielt seinen Anteil ausgehändigt. Fernberger zog mit leuchtendem Gesicht von dannen, zehn Ellen blauen Atlasstoff unter dem Arm und zwanzig spanische Silbermünzen im Beutel.

5. Kapitel

Die Inseln am anderen Ende der Welt

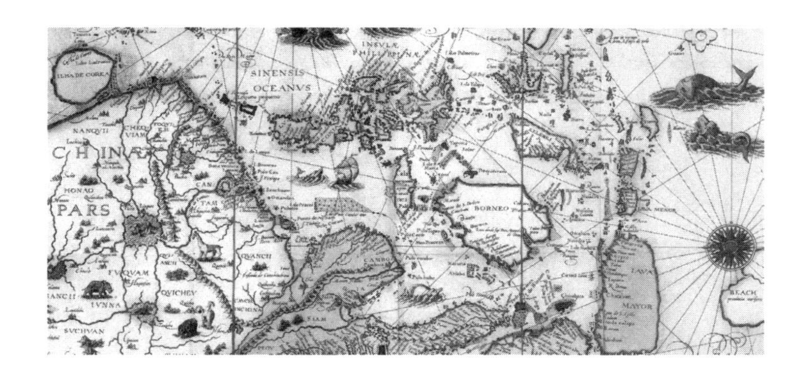

So segelte die *Goede Fortuin* jetzt weiter über den Pazifik, ein durch und durch zufriedenes Schiff. Selbst die Tatsache, daß der Wind immer wieder drehte, konnte ihm und seinen Männern nichts anhaben. Meist stand der Wind ohnehin günstig. Viele von Fernbergers Kameraden waren krank geworden, als sie nach der Hungersnot an Bord wieder angefangen hatten, tüchtig zu essen. Doch auch sie erholten sich innerhalb kurzer Zeit. So vergingen acht Wochen wie im Flug.

Am 30. März hatte der spanische Steuermann die Besatzung dann sicher zu den Marianen gebracht. Die *Islas de los Ladrones* – die Inseln der Diebe – waren auch die Vorboten der Philippinen. Die gefährlichen Weiten des Ozeans waren damit bezwungen. Die *Goede Fortuin* ließ ihren Anker vor Guam, der südlichsten der Diebesinseln fallen. Es dauerte nicht lange und vom Strand stießen kleine Boote ab und hielten auf die Besucher zu. Fernberger zählte fast sechzig der schmalen langen Einbäume, in denen hintereinander fünf oder sechs Insulaner saßen.

„Hierro! Hierro!“ schallte es zum Deck der *Goeden Fortuin* hinauf, immer öfter und immer lauter. Die Männer, die so begierig nach Eisen riefen, waren schwarz, völlig nackt und überraschend groß und wohlproportioniert. Nachdem man einige an Bord gewunken hatte, stoppte der Admiral den Besucherstrom, denn wo die Männer auch nur ein Stück Metall fanden, das sich mitnehmen ließ, griffen sie zu, sprangen damit ins Wasser und waren nie wieder gesehen. Den Matrosen waren die Frauen, die in einer zweiten Welle an Bord kamen, ohnehin willkommener. Sie mußten nicht lange überredet werden, sich mit den Männern zu vergnügen.

Fernberger trieb statt dessen wieder ethnographische Studien. Dabei bestand keine Gefahr, sich die hier verbreitete Spielart der Syphilis zu holen. Er mußte daher auch nicht damit rechnen, in Kürze siech zu werden, ja, vielleicht sogar sein Leben baldigst zu beenden.

Mit Hilfe eines Spanischdolmetschers ließ er fragen: „Woran glaubt ihr?“ und bekam zur Antwort: „An den größten Fisch im Wasser.“ Diesem wurden regelmäßig Opfer dargebracht, denn war er ihnen nicht freundlich gesonnen, würden sie alle ertrinken. Unter großem Zeremoniell wählte man daher regelmäßig zwei Männer, zwei Frauen und vier Kinder aus, die in Stücke gehackt ins Meer geworfen wurden. So blieb der große Fisch im Wasser den Insulanern gewogen.

„Und hat einer mehr als eine Frau?“ Darauf sagten sie, bei ihnen läge es an den Frauen, so viele Männer zu nehmen, wie sie wollten. Und die Kinder gehörten ebenfalls den Frauen, die mit ihnen lebten, wo und wie sie es verlangten.

Unterdessen war auch der offizielle Tauschhandel erfolgreich abgewickelt worden: Kokosnüsse, süße Bananen und getrockneter Fisch hatten für alte Nägel den Besitzer gewechselt. Beide Seiten waren zufrieden. Daraufhin ließ der Admiral die Besucher von Deck scheuchen. Sie sollten heimfahren und wiederkommen, wenn sie geschlafen hatten, wurde ihnen ausgerichtet. Allerdings stieg keiner in sein Boot hinunter, ohne ein Stückchen Eisen ergattert zu haben, und mochte es auch nur ein einziger Nagel sein.

Der nächste Tag war der 1. April. Auf der *Goeden Fortuin* begann der Tag früher als gewöhnlich: Bereits im Morgengrauen war das Schiff klar zum Auslaufen, setzte Segel und holte den Anker auf. Auf der Insel wurde der überstürzte Aufbruch des Besuchers trotzdem bemerkt, und ein Schwarm von Einbäumen folgte dem Schiff noch lange, obwohl die Distanz zwischen ihnen sehr schnell größer wurde.

Drei Tage später sichtete der spanische Steuermann das Kap Espiritu Santo – die *Goede Fortuin* hatte die Philippinen erreicht. Grün und dicht bewaldet war die dazugehörige Insel, das konnte man deutlich sehen. Der Steuermann, der die Philippinen besser kannte, ergänzte den Informationsstand der Besatzung und berichtete von der hohen Einwohnerzahl der Inseln, ihrem Reisanbau und natürlich von der Hauptstadt Manila. Der Stellvertreter des Vizekönigs von Mexiko residierte dort, mitsamt einer ständigen Garnison von siebenhundert Soldaten. Alles Spanier – die Einheimischen, die ebenfalls als Soldaten dienten, noch gar nicht mitgerechnet. Die Stadt selbst war fröhlich und offen, besaß aber auch entsprechende Verteidigungsanlagen: einen Graben, einen Steinwall und zwei Forts. Die Schaltzentrale der spanischen Verwaltung und des spanischen Welthandels mußte uneinnehmbar sein.

Portugiesen waren dort nur als Handelspartner gern gesehen, Wohnrecht in der Stadt hatten sie hingegen keines (wie auch umgekehrt die Spanier nicht im portugiesischen Goa wohnen durften). Ansonsten gab es in Manila vor allem Chinesen zu sehen. Sie kamen jährlich mit ihren seltsamen Schiffen aus der Küstenstadt Zenzau dorthin, vollbeladen mit Seide, Porzellan, Zukker, Chinarinde und ihrer Überschußproduktion an Lebensmitteln für den lokalen Markt.

Die Männer der *Goeden Fortuin* mußten sich mit diesen Geschichten begnügen. Manila und die Philippinen blieben für sie tabu. Erst vier Tage später lief der Admiral wieder eine kleine Insel an, um die Vorräte zu ergänzen. Eingetauscht wurde diesmal die erbeutete Leinwand gegen Reis, Hühner und grüne Früchte. Die Insulaner hier waren hellhäutiger, ihre Körper aber über und über fein säuberlich eingeschnitten wie von einem Bader, sodaß ein dunkler Narbenschmuck zurückblieb, mit dem sie ihren hohen Stand kundtaten. Ihre Götzen – Carl Christoph Fernberger hatte wieder Nachforschungen angestellt – sahen kaum besser aus: Es waren Teufel.

So dicht an der üblichen Schiffahrtsroute der Spanier war der Aufenthalt hier nicht ungefährlich. Nachdem in der folgenden Nacht auch noch ein Feuer im Schiff ausbrach, aber gottlob rasch wieder gelöscht werden konnte, befahl der Admiral am nächsten Morgen den sofortigen Aufbruch. Der eingeschlagene Kurs führt die *Goede Fortuin* mitten durch das Gewirr der großen und kleineren nach König Philipp benannten Inseln nach Süden.

Danach kam wieder die offene See und am 22. April sichtete die *Goede Fortuin* die erste der Molukkeninseln, tags darauf ließ sie vor Ternate ihren Anker fallen. Hier am Äquator war die Hitze inzwischen unerträglich. Etliche von Fernbergers Kameraden waren davon längst krank geworden, viele sollten nach all den ausgestandenen Strapazen den Klimawechsel nicht überleben.

Obwohl klein, war Ternate eine der wichtigsten Inseln der Molukken. Gemeinsam mit ihren Nachbarn bildete sie die in Europa bekannten „Gewürzinseln“: Nur hier, und nirgendwo sonst auf der Welt, wuchsen Nelken und Muskat.

Ternate hatte einen mächtigen König, der den Holländern drei Tage später einen Besuch abstattete. Er kam in einem prächtigen Boot an, weigerte sich aber, auf das Deck der *Goeden Fortuin* hinaufzuklettern – statt dessen möge der Admiral zu ihm hinuntersteigen, wurde vom spanischen Steuermann übersetzt. Der Aufforderung eines Königs war nachzukommen. Admiral und Dolmetscher stiegen für die Konversation auf das königliche Prunkboot um. Der König wollte alles über die *Goede Fortuin* wissen, der Admiral gab die gewünschte Auskunft. Eine Einladung aufs Schiff aber wollte der König unter keinen Umständen annehmen: Die Leitern seien für seine Person nicht stark genug, ließ er wissen (denn er war für seine kurze Statur ziemlich stämmig). Doch als die Mannschaft Abhilfe geschaffen hatte, meinte er, jetzt sei es zu spät für den Besuch, er müsse rechtzeitig vor Sonnenuntergang sein Gebet verrichten.

„Alles Ausreden!“ war die einhellige Meinung der Mannschaft oben zu diesem Geplänkel, das sich unten indes noch eine ganze Weile hinzog. Dann aber hatte die Audienz tatsächlich ein

Ende, der Admiral kehrte aufs Schiff zurück, der König an Land.
Ganz geheuer war es den Männern hier unter lauter Mohammedanern nicht. Allerdings waren die Leute recht männlich anzusehen, fand man allgemein, selbst mit ihren kniekurzen losen Hemden und bunten Hüfttüchern. Und der Teint unter ihrem Turban war sonnenbraun, weder schwarz wie der der Wilden noch gelb wie der der Chinesen.
Drei Tage nach der ersten Begegnung stattete der König mit seinem Hofstaat den Holländern einen zweiten Besuch ab. Früh am Morgen steuerten seine aufgeputzten Boote hinaus zur *Goeden Fortuin*. Zweiundzwanzig zählten die Männer. Jedes wurde von zweihundert Mann gerudert, an Deck blitzten überall Schilde, Speere, Schwerter und Pfeile. Der triumphale Auftritt machte sofort mißtrauisch. Die Gewehre wurden ausgegeben, die Mannschaft war auf alles gefaßt. Als die Boote des Königs sie erreicht hatten, umrundeten sie die *Goede Fortuin*. Einmal, zweimal. Ein drittes Mal. Und die ganze Zeit über schallte laute Musik zu ihnen herüber: Metallbecken und Trommeln wurden geschlagen, dazu ertönte lautes Geschrei.
„Heerpauken!“ sagte einer. „Gleich werden sie uns angreifen!“
Die andern stimmten zu: Kriegstrommeln und Kampfgeheul, ohne Zweifel. Drei der Boote waren außerdem mit Buggeschützen bestückt, und gehandhabt wurden sie so meisterlich und präzise wie in jeder Marine, das war den geschulten Augen nicht entgangen. Der Admiral schickte vier Mann mit Äxten zum Bug. Im Fall eines Angriffs sollten sie sofort das Ankertau kappen, um die *Goede Fortuin* vielleicht noch frei zu bekommen. Alle Männer drängten sich jetzt an Deck.
Nach der dritten Runde stoppte die königliche Flotte. Dann steuerte eines der Boote direkt auf sie zu. Der König schickte einen Abgesandten. Der kletterte ohne Umschweife an Bord und überbrachte seine Botschaft: Der König wolle anderntags seine Aufwartung machen und das große Schiff besichtigen. Höflich ließ der Admiral erwidern, man sei in freudiger Erwartung. Danach wurde der Gesandte vom Admiral persönlich bis zur Bordleiter eskortiert, er stieg hinunter, sein Boot gesellte sich wieder zur Flotte, und dann kehrten alle gemeinsam ans Ufer zurück.
Die Mannschaft war erleichtert. Doch von den bösen Ränken des Königs waren die meisten nach wie vor überzeugt. Vermutlich hatte dieser den geplanten Angriff nur deshalb abgeblasen, weil er beim Umrunden des Schiffes gesehen hatte, daß die Besatzung der *Goeden Fortuin* viel stärker war, als er angenommen hatte.
Am nächsten Tag kam tatsächlich nur das königliche Prunkboot alleine. Der König jedoch war nicht an Bord. Das Boot war nur gekommen, um ihn erneut anzumelden. „So soll er denn kommen!“ war die Antwort. Und tatsächlich kam er schließlich – nicht in einem zweiten großen, sondern in einem winzig kleinen Nachen. Ein Offizier der *Goeden Fortuin* ließ hinunterrufen, ob der König gleich an Bord kommen wolle. Doch dieser stieg statt dessen in das Prunkboot um und begehrte den Admiral dort zu sehen.
Der Admiral ließ sich an diesem Tag offiziell entschuldigen: „... Unpäßlich ...

könne nicht hinunterklettern ..." Etwas in der Art. Glaubte der König von Ternate die Ausflüchte? Für den Moment schien es zumindest, als hätte der Admiral das diplomatische Tauziehen für sich behaupten können. Der König verabschiedete sich und fuhr zurück zur Insel. Gegen Abend zeigte sich, daß der Admiral tatsächlich einen Sieg errungen hatte: Ein Boot steuerte zur *Goeden Fortuin* hinaus, beladen mit fünfhundert Pomeranzen. Der Zahlmeister wollte nur tauschen – die Früchte gegen den Rest der erbeuteten Leinwand – und die vier Insulaner, die die Ladung gebracht hatten, akzeptierten.

Nachdem der Handelsverkehr also in Schwung gekommen war, machte der Zahlmeister den nächsten Schritt. Zwei Tage danach ließ er sich ans Ufer übersetzen und wurde beim König vorstellig. Er brachte ein schön gearbeitetes Schwert und überreichte es mit dem Ausdruck vorzüglichster Hochachtung von Seiten des Prinzen von Oranien und den besten Grüßen aus dem fernen Holland. Den König schien das Geschenk zu erfreuen, die Grüße waren ihm ebenfalls angenehm. So zog der Zahlmeister wieder von dannen: Mit leeren Händen, aber der Zusage des Königs, den Holländern seine Gewürznelken zu verkaufen. Der Handel sollte gleich am nächsten Tag über die Bühne gehen.

Der 3. Mai kam und mit ihm die Abgesandten des Königs. Der Admiral empfing die Handelsdelegation und führte die Gäste in seine Kajüte. Allein, man wurde nicht einig. Ergebnislos wurde das Gespräch Stunden später abgebrochen, die Unterhändler verließen das Schiff. Ob und wann sie wiederkommen wollten, erfuhr man nicht mehr. Trotzdem: Ein Anfang war gemacht.

Daß die freundschaftlichen Beziehungen tatsächlich nicht gelitten hatten, zeigte sich gleich am nächsten Tag, als das königliche Prunkboot allerhöchsten Besuch ankündigte.

Der König saß auf einem Seidenteppich am Bug, über ihn hielt ein dienstbarer Geist einen Sonnenschirm, ein anderer fächelte mit langen Wedeln um kühlere Luft. Als Begleitung stand eine Garde von zwanzig Soldaten an Deck, jeder mit mannslangem Schild und einem Schwert, geschmückt mit bunten Federn. Der König kam ohne Umschweife zur Sache: Ihm stand der Sinn nach einer Muskete. Sein Begehr wurde prompt erfüllt. Der Admiral ließ flugs ein vergoldetes Exemplar herbeischaffen und das hübsche Stück mit ledernem Schulterriemen unten überreichen. Dem König gefiel, was der Admiral für ihn ausgesucht hatte. Unter dem Freudengeschrei der Untertanen steuerte der König wieder seine Insel an, allerdings nicht ohne die Botschaft zu hinterlassen, jeder Mann an Bord sei ihm als Gast willkommen und möge sich an Land nach Gutdünken frei bewegen. Freudengeschrei auf der *Goeden Fortuin* antwortete ihm.

Landgang! Für die Männer die größte Freude (nach gutem Essen und großer Beute). Der Admiral wies seine Mannschaft noch an, sich gebührlich zu benehmen, dann konnte am nächsten Tag der erste Trupp an Land.

Christoph Carl Fernberger genoß seinen Ausflug in vollen Zügen. Ternate, das hatte man schon von Bord aus gesehen, war ein gebirgiges Eiland, ohne viel Ackerboden. Die Stadt selbst be-

gann gleich am Strand und zog sich entlang einer gepflasterten Straße hin, flankiert von niedrigen Häuserzeilen aus Bambusrohr. Am Ende kam der Palast des Königs – gemauert, aber nicht gerade groß, daneben sein Frauenhaus (mit vierhundert Frauen, die alle in seinem ausschließlichen Besitz waren), und dahinter lag eine alte Kapelle, in der die Portugiesen und Spanier ihre Messen gefeiert hatten, als sie hier ein Fort unterhielten. Im Türmchen hing noch die Glocke. Nur der Schwengel fehlte. Das allerdings hinderte die Insulaner nicht daran, die Glocke weiterhin zu benutzen, um die Leute zusammenzurufen: Sie schlugen sie einfach von außen an.
Neben der Kapelle lag die zweite Sehenswürdigkeit der Stadt: Ein Haus mit einem Eisengeschütz davor.
„Ein holländischer Kapitän hat es einst dem König verehrt. Als Andenken. Er hieß Draco", erzählte einer und machte damit flugs Sir Francis Drake zu einem der ihren.
Christoph Fernberger und seine holländischen Kameraden wandten sich an dieser Stelle vom verkannten Engländer ab und den leiblichen Genüssen zu. Neben besagtem Haus begann der Markt. Wie man schon festgestellt hatte, eignete sich die Insel kaum zum Akkerbau. Und es zeigte sich, daß hier tatsächlich weder Reis noch Getreide wuchsen, entsprechend gab es auf dem Markt kein Brot zu kaufen. Statt dessen erstand Fernberger ein Huhn – recht teuer – und Sagobrot (aus den gequollenen Fasern der Sago-Palme), das frisch zumindest wie Haferbrot, altgeworden aber abscheulich schmeckte. Ansonsten wuchsen hier nur Pomeranzen, aber damit ließ sich Hunger bekanntlich nicht stillen. Auch Tabak gab es, dem westindischen nicht ebenbürtig, doch die Männer waren insgesamt zufrieden. Denn für den Durst gab es Palmwein, der im islamischen Inselreich zwar offiziell verboten war, aber unter der Hand für harte Devisen in Form von spanischen *Reales* verkauft wurde.
Am nächsten Morgen lief die Flotte des Königs zur Nachbarinsel Tidore aus. Als sie abends zurückkam, war sofort die ganze Stadt auf den Beinen: Unter Jubel und Geschrei zogen die Soldaten zum Palast, ihre Schwerter waren noch blutig, an den meisten klebten Haare. In Tidore hatten die Männer ein ganzes Dorf niedergemacht, das sich entschlossen hatte, vom König abzufallen und Gewürznelken auf eigene Rechnung an die Spanier, die dort ein Fort unterhielten, zu verkaufen. Als Beute brachte man Berge von Nelken und zwei der großen einheimischen Boote. Alles wurde direkt zum Palast geschafft – auch die Boote, indem jeder mit seinem Schwert ein Stück davon abhieb und es hinterher dem König zu Füßen legte.
Nachdem sich einige Tage danach der Rummel in der Stadt wieder gelegt hatte, beehrte der König die *Goede Fortuin* mit einem Freundschaftsbesuch. In Begleitung von acht seiner Getreuen kam er diesmal sogar an Bord. Besah sich das Schiff und ließ sich auch unter Deck alles zeigen. Hie und da fiel sein Auge bei diesem Rundgang auf etwas, das seine Begehrlichkeit weckte (und ihm schleunigst als Geschenk überreicht wurde), bis er schließlich in der Kombüse den Blasebalg entdeckte und ihn vorsichtig in den Händen drehte. Chri-

stoph Carl Fernberger erklärte ihm die Nutzung auch ohne Dolmetscher und pustete dem Monarchen mitten ins Gesicht. Der König war begeistert! Augenblicklich bat er den Admiral um dieses letzte Geschenk und pumpte sich – kaum war die Bitte erfüllt – damit unablässig selbst Luft in den Mund. Wer ihn vorher nicht gesehen hatte, mußte ihn für einen Irren halten.

Zwei Tage später erlebte die *Goede Fortuin* wieder eine Überraschung: Zwei Holländer kletterten an Bord. Es waren Freileute, freie Kaufleute aus Batavia, die von ihrer Ankunft in Ternate erfahren hatten. Die Nachricht von zwei holländischen Schiffen, die derzeit bei den nahen Banda-Inseln vor Anker lagen, hatte die Runde gemacht. Dort hatte man auch gewußt, daß das einstige Geschwader lange überfällig war und das Flaggschiff selbst einen Großteil seiner Besatzung verloren hatte – Gottlob aber wären nicht alle tot, war zu erfahren gewesen.

Der *Goeden Fortuin* und ihrer Mannschaft bekam indessen der Aufenthalt auf Ternate gut. Da auch kein Grund zur Eile bestand, zog sich der Zwischenstopp mehr und mehr in die Länge. Schließlich waren acht Wochen vergangen, ehe das Schiff wieder zum Aufbruch bereit und der Nelkeneinkauf zur beiderseitigen Zufriedenheit über die Bühne gegangen war. Nach einem gelungenen offziellen Abschied vom König setzte man am 24. Juni wieder Segel.

Der Wind stand günstig, und die *Goede Fortuin*, auf Kurs Südsüdwest, machte in den nächsten Tagen gute Fahrt. Als sie die Passage östlich der Insel Celebes erreichte, warf sie zwischen den unzähligen kleinen Inselchen Anker für eine Nacht. Am nächsten Morgen ging es weiter, auch wenn der Wind inzwischen gedreht hatte und der Raum zum Manövrieren eng wurde. Trotz Tageslicht und einem erfahrenen Steuermann wähnte sich die Mannschaft in Gefahr – zu Unrecht. Der spanische Kamerad lotste das Schiff sicher durch die Enge. Mit gutem Wind aber Gegenstrom setzte die *Goede Fortuin* in den nächsten acht Tagen über die offene See und traf erwartungsgemäß vor der Insel Buton wieder auf die Ostflanke von Celebes. Zwei Tage später, immer noch auf Kurs Südsüdwest, waren endlich die Sundainseln erreicht: Die Männer sichteten Lombok, dann Bali und Madura. Nun zeigte der Bug der *Goeden Fortuin* konstant Westnordwest. Am 21. Juli segelte man gegen Abend an Karimun Java vorbei, einer Inselgruppe nördlich des großen Java. Es war nicht mehr weit! Für Christoph Carl Fernberger aber wurde die Zeit knapp: Seit Tagen konnte er nicht mehr gehen, so sehr litt er inzwischen wieder unter Skorbut. Sollten sie nicht bald an Land gehen, würde er es nicht mehr erleben.

Fernberger hielt durch. Ebenso der Wind. Vier Tage später, am 25. Juli 1623, erreichte die *Goede Fortuin* die Reede von Jakarta. Ein vielstimmiges „Gott sei Lob und Dank!“ stieg vom Schiff zum Himmel auf. Die Freude war unermeßlich groß, das konnte nur verstehen, wer die letzten fünfzehn Monate zwischen Himmel und Meer zugebracht hatte: Tag und Nacht, ohne Unterbrechung, in größter Kälte und unsäglicher Hitze. Jetzt aber war das alles Vergangenheit und vergessen.

Als der Anker gefallen war und die *Goede Fortuin* sich in den Wind gedreht hatte, feuerten die Stückmannschaften die Kanonen ab. Auf dem Kastell wurde der Salut mit drei Schüssen erwidert. Ein großer Flottenverband von fünfundzwanzig Schiffen der *Vereenigden Oostindischen Compagnie* folgte und gab ebenfalls mit drei Schüssen je Schiff seine Ehrenbezeugung ab.

Nach der offiziellen Begrüßung war die *Goede Fortuin* frei von jedem Zeremoniell und offen für Besucher: Große und kleine Schiffchen setzten zu ihrer Bordwand über, an Bord Seefahrer und Kaufleute aus aller Herren Länder. Jeder wollte Einzelheiten über die lange Reise erfahren, aus der Stadt eilten die holländischen Freileute herbei, um Nachrichten aus der Heimat zu hören. Außerdem kamen Malaien, Javaner, Chinesen und Japaner, um allerlei Gebrauchsartikel und exotische Früchte einzutauschen. Im Handumdrehen ging es auf der *Goeden Fortuin* zu wie auf einem Kirtag. Für die Kranken unter der Besatzung war das allein Medizin genug, um wieder auf die Beine zu kommen. Selbst die Bettlägerigen wie Christoph Carl Fernberger schleppten sich jetzt an Deck und nahmen an dem allgemeinen Trubel teil.

Einige Formalitäten waren an diesem Freudentag aber doch noch zu erledigen: Der Admiral ließ sich kurz danach an Land setzen, um mit den Schiffspapieren unter dem Arm, dem General im Fort Bericht zu erstatten. Kurz darauf kam ein Verwaltungsbeamter an Bord, um sich der Mannschaft anzunehmen. Zunächst entband er die Männer offiziell von ihrem in Holland geschworenen Eid und hieß sie daraufhin erneut ihr Wort zu geben: Die Satzungen der Vereinigten Ostindischen Handelskompagnie wurden laut und deutlich verlesen, anschließend hatte sich jeder einzelne auf drei Jahre Dienst im Land zu verpflichten.

Die Beamten der V.O.C. verloren keine Zeit. Nachdem die Eide abgelegt waren, wurden die Soldaten an Land gebracht, die Seeleute und Schiffsoffiziere hingegen auf andere Schiffe verteilt. Binnen weniger Stunden waren von den dreihundertachtzehn Mann, die von den ursprünglichen eintausenddreihundert die Fahrt überlebt hatten, alle – auch die Kranken – bis auf fünfundzwanzig von Bord geschafft. Dieser Rest war in so erbärmlichem Zustand, daß ein Dienstantritt nicht in Frage kam. So blieb Christoph Carl Fernberger mit vierundzwanzig Kameraden allein auf dem großen, leeren Schiff zurück.

6. Kapitel

Wie ein Diamant dem Glück auf die Sprünge hilft

Drei Tage danach machte ein kleines Segelschiff an der *Goeden Fortuin* fest. Ein kräftiger Mann kletterte an Deck, stieg den Niedergang hinunter ins Mannschaftslogis und machte sich auf die Suche. Als er das Lager von Fernberger erreichte, blieb er stehen, schulterte ihn samt seiner Habseligkeiten und brachte ihn zum Boot. Johannes Silbernagel hatte seinen alten Bordgenossen nicht vergessen – aber er schien der einzige zu sein, der sich der zurückgelassenen Männer noch erinnerte.

Für Christoph Carl Fernberger war die Odyssee damit noch nicht zu Ende. An diesem 28. Juli bezog er im Spital von Jakarta ein Bett und machte sich bereit, zu sterben. Das Siechenhaus der Stadt war kein Ort, um gesund zu werden. Täglich befahl er seine arme Seele zu Gott – und täglich starben die Kranken um ihn herum. Zweihundert Leidensgenossen teilten sich hier Platz und Pflege. Wie Fernberger wartete jeder von ihnen geduldig, bis die Reihe an ihn kam.

Am 1. September war Christoph Carl Fernberger wider Erwarten immer noch am Leben. Er ergriff die Chance und bat, ihn zur Ader zu lassen. Es schlug nicht an – sein Zustand wollte sich nicht bessern. Zwei Tage später allerdings ging es von selbst aufwärts. Plötzlich faßte Fernberger wieder Hoffnung: Womöglich konnte er dieses fürchterliche Haus doch noch einmal verlassen? Inzwischen war die Zahl derer, die während seines Aufenthalts im Spital gestor-

ben waren, auf über einhundert geklettert, und noch einmal vier Wochen später, als Fernberger nicht geheilt, aber zumindest wieder auf eigenen schwachen Beinen das Krankenhaus verließ, waren es einhundertachtundvierzig geworden. Ihm aber hatte Gott auch diesmal geholfen: Fernberger war entsprechend dankbar.
Am 28. September wurden neben Fernberger noch zwei weitere Männer entlassen. Unter Aufsicht schlugen sie den Weg zum Fort der Stadt ein. Als sie dabei den Fluß vor den Mauern überquerten, stürzte sich einer der beiden ins Wasser, mutlos und überwältigt von der Angst vor dem, was ihm jetzt bevorstand. Der Mann war nicht zu retten: Die Strömung verschluckte ihn sofort, und er ertrank, nicht einmal seine Leiche tauchte jemals wieder auf.
Am nächsten Morgen wurde Fernberger dem Leutnant des Kastells vorgeführt. Für diensttauglich befunden, bekam er eine Muskete und wurde zum Wachdienst auf eines der Bollwerke abkommandiert. An seinem ersten Diensttag wurde einer seiner Kameraden am Galgen hingerichtet – er hatte in seiner Verzweiflung zu den Javanern überlaufen wollen.
Während er langsam gesund wurde, lebte sich Fernberger in die ihm zugedachte Rolle ein. Die Bastei, auf der er seinen Dienst versah, war eine von vieren, die das Fort der V.O.C. bildeten. Die beiden großen, Rubin und Diamant, waren der Stadt zugewandt, die beiden kleineren, Saphir und Hyazinth, schauten über die Reede. Von seinem Posten oben auf dem „Diamanten" hatte Fernberger einen erstklassigen Ausblick ins Innere auf die schmucken, backsteinernen Lagerhäuser der Kompagnie und das große im Bau befindliche Gebäude, das dem General und dem Rat von Indien als repräsentative Wohnstatt dienen würde. Nach außen sah man über den Mauergürtel und einen tiefen Graben, die das Kastell im Rund umschlossen, in die eigentliche Stadt. Die Holländer nannten sie Batavia und hatten zwischen den Kokospalmen nach holländischer Manier einen Wall aufgeschüttet, Grachten gezogen und hübsche Steinhäuser errichtet. Erste Gärten gab es ebenfalls. Auch eine große calvinische Kirche, in der holländisch und malaiisch gepredigt wurde. Und natürlich das Spital. Erst seit 1619 bauten die Holländer an ihrem zweiten Amsterdam – und daß es mit der Zeit hier genauso schmuck und kurzweilig sein würde, war bereits abzusehen. Für die Arbeiten an Land unterhielt die V.O.C. vor dem Tor noch ein eigenes Sklavenhaus mit rund zweitausend Insassen: Männer, Frauen und Kinder aller Rassen und Nationen.
Für die ständige Garnison von dreihundert Soldaten, die Dienst im Kastell taten, gab es Abwechslung nur dann, wenn auf der Reede ein neues Schiff einlief, oder an jenem Tag, als die Jäger mit einem erlegten Rhinozeros in die Stadt zurückkehrten und sich Fernberger mit Silbernagel aufmachte, um das vielgerühmte Tier genauer zu betrachten.
„Es sieht ganz anders aus als beschrieben."
„Was für ein ungeheures Tier, so groß!"
Da die beiden sahen, daß andere das Fleisch offenbar für eßbar hielten, erstanden sie ebenfalls ein Stück. Nach dem Essen waren sie wieder einer Meinung: Ein Nashorn stillte wohl den Hunger, war aber reichlich zäh.

Nach drei Wochen Dienst auf dem Kastell hatte Christoph Carl Fernberger genug gesehen. Das war nichts für ihn, schon gar nicht für die nächsten drei Jahre. Am 22. Oktober sprach Fernberger deshalb beim General vor. Dieser lebte im Kastell wie ein Fürst (wie man hörte, aß er nur von Gold und Silber) und war nie ohne seine zwölfköpfige Ehrenwache (sechs schritten mit Hellebarden voraus, sechs Schützen folgten) zu sehen. Ging er vors Tor, vervollständigten zwanzig Musketiere den Aufzug. Alleiniger Herr über die Handelsniederlassung war er jedoch nicht: Ihm zur Seite stand der sechsköpfige Rat von Indien. Den sieben aber waren alle anderen Gouverneure, Admiräle und Kommandanten unterstellt, die die V.O.C. in diesem Erdteil unterhielt.
Es wurde ein langes Gespräch: Fernberger erklärte, wer er war, erzählte von seinem Unglück, wie und auf welche Weise er hier gelandet war und wie er jetzt eine einzelne Muskete kommandieren sollte, wo er doch davor eine ganze Kompanie von dreihundert Landsknechten kommandiert hatte. Der General hörte zu, zeigte Verständnis, ja Mitgefühl. Helfen könne er freilich nicht.
„Eine Bittschrift“, empfahl er Fernberger zum guten Schluß, „Ihr müßt eine Bittschrift einreichen, namentlich an mich gerichtet. Ich werde sie dem Rat vorlegen und sehen, was ich tun kann.“
Zwei Tage später lief ein großes Schiff der Englischen Handelskompagnie in Jakarta ein. Es hieß *Charles*, wie der damalige Prince of Wales, kam von der Koromandelküste und hatte Kupfer, Salpeter und Elfenbein an Bord, außerdem baumwollene Leinwand und indische Sklaven. Als sich der Trubel im Hafen und der englischen Faktorei am Abend wieder gelegt hatte, ging Christoph Carl Fernberger ins Fort und suchte erneut den General auf. Die Bittschrift war aufgesetzt und für gut befunden worden – wozu noch mehr Zeit verlieren?
Vor dem Zimmer des Generals stand ein Adjutant. Fernberger nannte seinen Namen und bat diesen, ihn anzumelden. Gleich darauf erschien der Trabant wieder in der Tür und winkte Fernberger hinein. Der General war nicht allein. Zwei Kapitäne saßen bei ihm am Tisch.
„Was wollt Ihr?“
„Ich hätte allein mit dem Herrn General zu reden.“
„So wartet draußen, bis ich Euch rufen lasse!“
Fernberger tat, wie ihm geheißen. Als die beiden Kapitäne dann das Zimmer verließen, wurde er aufgerufen und trat ein. Er übergab dem General das Schreiben. Dann setzte er alles auf eine Karte:
„Ich bitt’ Euch inständig, mich ziehen zu lassen. Ich bin ein junger Mensch und würde gern etwas sehen von der Welt, wenn ich nun schon hier bin.“
Mit diesen Worten zog er den großen Diamanten aus seinem Beutel und übergab ihn dem General. Der war nicht wenig überrascht und untersuchte den Stein mit Kennermiene.
„Wo habt Ihr den gefunden?“
Fernberger entschied sich für die Wahrheit und erzählte die Geschichte vom Gefecht mit dem spanischen Schiff und wie er schließlich an das Kästchen mit dem Diamanten gekommen war.
„Wer weiß noch davon?“

„Niemand! Ich hab' ihn keinem gezeigt. Nur Euch will ich ihn jetzt verehren."
„Das bleibt unter uns. Kein Wort zu irgendjemandem! Ich werde Euch helfen!" Sprach's und verließ das Zimmer. Gleich am nächsten Morgen ließ man Christoph Carl Fernberger vor den versammelten Rat der V.O.C. rufen. Der General richtete das Wort an ihn und forderte ihn auf, in Gegenwart dieser Herren zu erklären, warum er der Kompagnie nicht dienen wolle.
„Wenn diese Herren es so befehlen, werde ich das wohl müssen", gab Fernberger zur Antwort, „aber ich möchte die Herren bitten, mich von meinem Dienst und Eid zu entbinden, wenn möglich. Laßt mich ziehen!" Und nachdem seine Geschichte bereits aus seiner Bittschrift hervorging und allen Anwesenden bekannt war, setzte er nur noch hinzu: „Wenn es mich schon hierher verschlagen hat, möchte ich mir diese Länder auch gerne besehen."
Die Herren des Rates hatten in aller Ruhe zugehört. Was sie antworteten, war wenig vielversprechend: Er werde seinen vollen Dienst ableisten müssen, wurde Fernberger bedeutet. Eine Freilassung, wie er sich das vorstelle, würde sich nicht bewirken lassen. Dann hieß man ihn abtreten.
Nachdem der Rat sich hinter verschlossenen Türen mit der Causa befaßt hatte, wurde Fernberger wieder gerufen. Die Herren kamen gleich zur Sache: „Durch die Fürbitte des Herrn General und weil Ihr ein Oberdeutscher seid, wollen wir Euch also freigeben." Nach der guten Nachricht kamen die Bedingungen: Fernberger würde bleiben und mindestens fünf Jahre hier wohnen müssen. Wie die anderen Freileute auch, müßte er in dieser Zeit die volle Gerichtsbarkeit der V.O.C. anerkennen.
Fernberger dankte dem Rat und nahm die Konditionen ohne zu zögern an. Daraufhin schickte man nach dem Offizier der Wache, der kam und auf Befehl der Ratsherren Fernberger die Dienstwaffe abnahm.
Damit begann für Christoph Carl Fernberger ein neues Leben. Am nächsten Tag, es war der 26. Oktober 1623, bezog er in der Stadt Wohnung im Haus eines Schweizers, der hier als freier Kaufmann lebte, gemeinsam mit seiner malaiischen Ehefrau.
Sein nächster Weg führte ihn noch einmal zum General: „Ich wollte Euch noch einmal danken, wegen des guten Urteils."
Der General winkte ab. Er war nicht allein, der Gouverneur war bei ihm. Fernberger wandte sich schon wieder zum Gehen, als ihn der General zu seinem Schreibtisch rief. Leise, so daß der Gouverneur nicht hören konnte, was die beiden sprachen, ermahnte er ihn, den Diamanten, den er ihm gegeben hatte, nie wieder zu erwähnen und drückte ihm einen Beutel mit zweihundert Talern als Abschiedsgeschenk in die Hand. Zum Gouverneur gewandt sagte er laut: „Ich leih's dem armen Kerl. Wie soll er sonst hier Fuß fassen?" Dieses Startkapitel half dabei, kein Zweifel. So wurde aus dem Landedelmann ein Kauffahrer. Allerdings ging diese Verwandlung nicht über Nacht vonstatten. Fernbergers Wirt führte ihn in das Geschäft des Kaufens und Verkaufens ein. Und dessen Frau, die ein wenig Deutsch sprach, das sie von ihrem Mann gelernt hatte, wurde seine Sprachlehrerin. Leicht war es nicht.

Mehr mit Gewalt denn mit Muße lernte Fernberger von ihr seine ersten malaiischen Wörter. Als sich nach kurzer Zeit Fortschritte abzeichneten, machte er es sich zur Gewohnheit, täglich zum Frauenhaus zu schlendern, das die V.O.C. in Jakarta unterhielt. Er trat an eines der Fenster, die Damen gesellten sich zu ihm und gegen kleine Geschenke unterhielten sie sich mit dem Neuankömmling. Durch dieses Training erlangte Fernberger rasch eine zufriedenstellende Sprachkompetenz. Nun konnte er sich hier im Alltag und bei seinen zukünftigen Geschäften selbst behelfen.
Doch bis es soweit war, sollte ihm sein Schweizer Wirt als Geschäftsagent dienen. Es war nicht unbedingt sinnvoll, das Kapital ruhen zu lassen – Geld mußte arbeiten. So hatte Fernberger die erste sich bietende Gelegenheit genützt, um eine geschäftliche Transaktion zu tätigen. Als am vierten Tag nach seiner Entlassung aus den Diensten der V.O.C. das Schiff mit dem neuernannten Gouverneur der Insel Banda in Jakarta auslief, war auch der Schweizer Freimann an Bord, um für Fernberger dort Muskatnüsse einzuhandeln.
Während Fernberger nun Sprachunterricht bei den einheimischen Damen nahm und auf den Ausgang seines ersten Handelsgeschäftes wartete, erlebte Jakarta aufregende Wochen. Zunächst war das Schiff von der nicht weit im Westen gelegenen Insel Krakatau eingelaufen, welches das Holz brachte, mit dem man im Hafen von Jakarta die Schiffsrümpfe doppelte (der lästigen Bohrwürmer wegen). Gesellige Höhepunkte hingegen waren kurz darauf zuerst das Begräbnis des Präsidenten der englischen Handelskompagnie vor Ort sowie das Bankett, das sein holländisches Gegenüber in Person des Herrn Generals fünf Tage später für dessen Amtsnachfolger ausrichtete.
Christoph Carl Fernberger verspürte zwischen diesen beiden Ereignissen dennoch Langeweile. Gemeinsam mit einem der Jäger unternahm er seinen ersten Ausflug in den Dschungel. Am Ufer des Flusslaufes, dem die beiden in den Wald gefolgt waren, entdeckte Fernberger ein Krokodil, das auf einem alten Baumstamm, der sich waagrecht über die Wasseroberfläche neigte, schlief. Er legte an, zielte – und hatte sein erstes Krokodil geschossen. In Europa ging die Mär, der Panzer der Echsen sei kugelsicher, aber das hatte Fernberger ohnehin nicht glauben wollen. Zu zweit holten sie das Tier aus dem Wasser und schnitten es auf: Keiner der beiden war überrascht, als sie einen menschlichen Arm aus dem Bauch des Krokodils zogen. Ob der Arm von einem Weißen oder einem Schwarzen stammte, war zum Leidwesen der beiden nicht mehr festzustellen. Das Fleisch des Tieres trugen sie nach Hause. Seine Wirtsfrau verstand sich auf die Zubereitung – Krokodilfleisch war hervorragend, konnte Fernberger an diesem Abend feststellen, es schmeckte wie Kalbfleisch.
Der November war kaum zur Hälfte vorbei, da hatte Jakarta wieder ein neues Stadtgespräch: In der Nacht zum 15. war ein alter Tiger in das Haus eines Deutschen eingedrungen, hatte dessen Frau neben ihm aus dem Ehebett gezerrt, unter das Bett geschleift und war über sie hergefallen. Davon erwachte der Ehemann, begriff, was gerade vor sich ging und schrie lauthals um Hilfe. Selbst die japanischen Nachbarn ka-

men gelaufen, mit Piken bewaffnet und lodernden Fackeln in den Händen. So fanden sie die drei im Schlafzimmer vor: die Frau am Boden, den Tiger auf ihr und im Bett darüber den Ehemann. Nicht einmal das Feuer schreckte den Tiger auf. Gemeinsam erstachen die Japaner das Tier, schleiften es von seiner Beute herunter und zogen die Frau unter dem Bett hervor. Sie lebte noch!
„Hinten am Hals hat ihr der Tiger drei Löcher gebissen!" erzählte man sich hinterher auf den Straßen. Und am nächsten Morgen machte die Nachricht die Runde, daß die Frau den Angriff nicht überlebt hatte.
Mit den Tigern hatte man hier ständig Probleme, vor allem auf den Wegen übers Land. Sie legten sich im Gebüsch auf die Lauer, sprangen den vorbeikommenden Leuten an die Gurgel und schleiften sie mit sich davon – das hatte Christoph Carl Fernberger schon oft gehört –, aber daß sie auch in Stadthäuser vordrangen, war ihm neu gewesen.
Fünf Tage später war die Geschichte schon wieder vergessen und ganz Jakarta auf den Beinen, um sich die öffentliche Bestrafung jener Soldaten anzusehen, die ohne Erlaubnis eine Nacht außerhalb des Kastells zugebracht hatten. Der erste wurde gegeißelt, der zweite gewippt.
In der letzten Novemberwoche gab es wieder zwei Tote: Der erste war ein Deutscher, der im Dschungel von einem Tiger angefallen worden war. Von ihm fand man nur mehr eine Hälfte. Der zweite war ein Zimmernachbar von Christoph Carl Fernberger. Der Schweizer Wirt (gerade erst wieder zurück von seiner Kauffahrt zu den Bandainseln als Fernbergers Agent) hatte besagten Zimmerherrn, der mit einem Dolch herumgefuchtelt hatte, erstochen. Von hinten. Er war auf der Stelle zusammengebrochen und tot liegengeblieben.
Noch am gleichen Tag wurde Fernbergers Herbergsvater dem Richter vorgeführt. Der Prozeß war kurz. Und die Strafe wohl angemessen: Am zweiten Tag nach der Bluttat wurde dem Schweizer nach der feierlichen Verlesung des Richterspruches von einem Japaner der Kopf abgeschlagen. Täter und Opfer wurden daraufhin gemeinsam in einem Grab beerdigt.
So ging das Jahr 1623 für Christoph Carl Fernberger turbulent zu Ende. In Jakarta herrschte unterdessen das übliche Kommen und Gehen. Alle paar Tage gingen neue Schiffe vor Anker. Die einen brachten Gewürze, die anderen Reis; Seide und Porzellan die chinesischen Dschunken; Sklaven die holländischen Großsegler. Für zusätzlichen Gesprächsstoff sorgten regelmäßig wilde Tiere – egal ob tot oder lebendig: Tiger, Krokodile und Nashörner. Den gesellschaftlichen Teil deckte hingegen die V.O.C. ab: Gegen Weihnachten erschienen zwei Gesandtschaften in Jakarta. Die eine kam vom benachbarten javanischen Königreich und bestand neben dem Botschafter des Königs aus vier Stachelschweinen, zwei Vögeln, drei Affen und einem Pferd als Ehrengabe für den Herrn General.
Die andere kam aus dem fernen China und stellte selbst den gelungenen Auftritt der Javaner in den Schatten: Die große Dschunke hatte kaum ihre Segel elegant gefaltet, als die Reede sich mit den kleinen Booten der ortsansäßigen Chinesen füllte, die mit Fahnen und Musikbegleitung auf sie zu hielten. An

Bord seien sechshundert Chinesen, erlesene Waren und ein hoher Herr, war an Land zu vernehmen.
Dessen Gang zum Fort (zur Audienz beim Herrn General) geriet zum Triumphzug: Während auf dem Kastell die angebrachte Zahl von Salutschüssen abgefeuert wurde, schritt der in schwarze Seide gehüllte alte Mann würdevoll durch die Straßen. Vor ihm gingen etliche Musikanten, Pfeifer und Bläser, anschließend kamen zwei, die Tafeln mit chinesischen Schriftzeichen in den Händen hielten. Der nächste hatte die Ehre, die Akkreditierung, in Seide eingeschlagen, vorwegzutragen, denn hinter ihm kam endlich der Botschafter höchstpersönlich. Beschattet von einem grünseidenen Sonnenschirm und gefolgt von den vornehmsten Mitgliedern seiner Gesandtschaft. Hinter diesen gingen vier mit zwei gelben Sonnenschirmen, ebenfalls aus Seide und reich bestickt. Damit waren die Zuschauer bereits bei den Gastgeschenken für den General angelangt. Als nächstes wurden Tuche aller Art vorbeigetragen: zwölf Mal Samt, zwölf Mal Atlas, zwölf Mal golddurchwirkte Seide sowie ein großer Ballen Rohseide. Dahinter wiederum die Spezialitäten des Landes: kleine Bottiche mit Teeblättern, mit Ton aromaversiegelt, etliche Körbe mit Zuckerwerk, Dutzende Körbe mit Orangen und zum Schluß wohl noch zwanzig große Bottiche mit eingelegtem Ingwer.
Der Reihe nach wurden die Geschenke dem General zu Füßen gelegt und die Botschaft unter vielen Verbeugungen überreicht. Damit war der Antrittsbesuch der chinesischen Delegation auch schon zu Ende. Der hohe Herr zog sich samt Gefolge ins Chinesenviertel zurück, General und Rat ins Kastell, und das Straßenpublikum verlief sich.
Pünktlich um Mitternacht wurde wenige Tage später das neue Jahr 1624 mit drei Salven Kanonendonner vom Kastell begrüßt. Zwei Jahre hatte Christoph Carl Fernbergers Fahrt um die halbe Welt bislang gedauert.
Am 3. Jänner lichtete auf der Reede ein kleiner Segler Anker. Die *Windhond* war das erste Schiff des Jahres, das die lange Heimreise nach Europa antrat. Begleitet von den guten Wünschen und Gebeten der Zurückbleibenden.
Fernberger konzentrierte sich wieder auf das Naheliegende. Am 7. Jänner stand der Gegenbesuch des Generals beim chinesischen Gesandten an, der beim Oberhaupt der hiesigen chinesischen Gemeinde Quartier bezogen hatte. Dieser besaß ein stattliches Haus in der Stadt, hübsch nach chinesischer Manier gebaut. Innen bot es ausreichend Platz, um die große Gesellschaft aufzunehmen, die sich zum Essen angesagt hatte. Der General war mit seinem gesamten Rat und seiner Gefolgschaft erschienen und wurde auf einer Seite des Saales bewirtet. Auf der anderen Seite tafelten die Chinesen auf ihre Art. Zur Unterhaltung wurde eine chinesische Komödie auf einer Bühne, die man dazwischen errichtet hatte, gegeben. Die Europäer bewunderten die prächtigen Kostüme und die Fertigkeiten der Schauspieler im Tanzen und Fechten. Für den General hingegen wurde vom chinesischen Hausherrn, der während der gesamten Aufführung hinter ihm stand, simultan ins Malaiische übersetzt. Fernberger saß so nah, daß er zuhören konnte – verstehen konnte er allerdings nur wenig.

Am nächsten Morgen stellte er die Weichen für seine Zukunft. Er kaufte ein Haus in Jakarta, dazu drei Sklaven, die die Englische Kompagnie feilbot und zwei einheimische Frauen für die Wirtschaft. Denn tags darauf, so war vereinbart, sollte er an Bord der holländischen Fleute *Makreel* mitsamt den chinesischen Waren, die er erstanden hatte, zu seiner ersten Handelsfahrt aufbrechen.

„Das ist nun also meine erste Reise", dachte Fernberger, als das Schiff in See stach, und: „Gott, laß sie mir glücken!"

7. Kapitel

Wo der Pfeffer wächst

Die Fahrt der *Makreel* führte nach Westen. Christoph Carl Fernberger stand an der Reling. Ihm war nicht mehr bang vor der Zukunft. Seine erste Handelsreise verlief bislang zufriedenstellend. Als Passagier gemeinsam mit anderen Freileuten lebte es sich auch bedeutend besser an Bord. Fernberger begann, der Seefahrt heitere Seiten abzugewinnen.

Trotzdem waren alle froh und dankten Gott, als die *Makreel* zwei Wochen später die Reede von Silabuhan erreichte. Die Stadt lag an der Westküste Sumatras, schon weit oben im Norden. Hinter dem üppigen Grün der Küste erhoben sich die Kraterränder eines riesigen Vulkans. Der König der hiesigen Malaien stattete den Neuankömmlingen den ersten Besuch ab: Gleich sechs seiner Prauen hielten auf die Fleute zu. In erster Linie war der König an den Handelswaren interessiert. Die chinesischen Luxusgüter Fernbergers stachen ihm dabei besonders ins Auge. Doch dieser hatte kein Interesse daran, das Angebot des ersten Kunden anzunehmen. Zusammen mit den anderen Freileuten ließ er seine Waren in ein in der Stadt angemietetes Haus schaffen, und zog in dieses neue Quartier um.

Mit den Malaien gab es jedoch nichts als Ärger.

„Ein ziemlich böses Volk!“ Das hatte einer der anderen schon vorweg gemeint, und Fernberger fand das Urteil schnell bestätigt. Es waren kleine Leute, schwarz wie die Javaner, aber völlig unberechenbar. Die Frauen pflegten sich die Nasen zuzuhalten, sobald sie der Europäer ansichtig wurden – die Geste allein war unmißverständlich. Als Draufgabe riefen sie ihnen dennoch bei jeder Gelegenheit ein „Ihr stinkt!“ hinterher. Ansonsten wollten sie mit den Fremden nichts zu tun haben.

Dabei waren sich die Männer einig, daß die, die schimpften, selbst wie Ziegenböcke rochen. Andere Bewohner hatte Silabuhan nicht, und auch andere Sprachen wurden hier nicht gesprochen. Von hier stammte jenes Malaiisch, das Fernberger gelernt hatte, die übliche Verkehrssprache mit der sich alle Welt in dieser Region behalf.

Gleich am ersten Tag wurde in das Haus der Freileute eingebrochen. Einem von Fernbergers Gefährten fehlten plötzlich hundertfünfzig spanische Silbermünzen. Die Kaufleute beschwerten sich bei den Nachbarn. Diese verrieten zwar den Dieb, doch der leugnete die Tat. Daraufhin brachten die Männer die Sache vor den König.

„Wir kommen nie wieder her, um Handel zu treiben, wenn ich mein Geld nicht wiedersehe!“ drohte der Bestohlene zum Schluß, und die anderen Männer nickten.

Daraufhin ließ der König den mutmaßlichen Dieb holen. Als der eintrat, erschien einer, der eine Art „Oberpriester“ zu sein schien, mit einer Schale Reis. Jeder der Männer wurde angewiesen, eine Handvoll zu nehmen und zu essen: Der Bestohlene zuerst, dann seine Kameraden. Als die Europäer ihre Prüfung bestanden hatten, kam die Reihe an den beschuldigten Malaien: Als dieser den Reis in den Mund schob, mußte er ihn sofort wieder ausspeien. Für den König war die Straftat damit bewiesen. Streng wies er seinen Untertanen an, das Geld zu holen. Der trollte sich und kehrte tatsächlich kurz darauf mit der in Frage stehenden Summe zurück. Der bestohlene Kaufmann revanchierte sich und belohnte den guten Willen noch mit einem Taler, dann löste sich die Versammlung auf. Bestrafung erfolgte keine – der überführte Dieb wurde von seinen Landsleuten bloß ausgelacht.

Der folgende Tag war den Geschäften gewidmet. Die Freileute fanden in einem der ihren, der sich hier in der Nähe niedergelassen hatte, einen potenten Partner. Der interessierte sich für das gesamte gemeinsame Warenlager und bot dafür hundertachtzig Sack Pfeffer und hundertfünfzig Barren Gold. Schnell wurde man daraufhin handelseins.

So lösten die Freileute ihren Hausstand in Silabuhan wieder auf und kehrten aufs Schiff zurück. Am dritten Tag nach ihrer Ankunft segelte die *Makreel* wieder davon. Die Rückfahrt nach Jakarta wurde kurzfristig ungemütlich – ein Sturm kam auf, das Schiff erwies sich als leck und Fernberger meinte schon, diesmal sei es wohl wirklich um ihn geschehen. Doch mit Gottes Hilfe beruhigte sich das Wetter binnen vierundzwanzig Stunden. Am 7. Februar erreichte man wohlbehalten die Reede von Jakarta.

Christoph Carl Fernbergers Freude war übergroß: die erste Handelsfahrt glücklich überstanden, das erste Geschäft erfolgreich getätigt. Nachdem der Pfeffer an die V.O.C. weiterverkauft war, hatte er – nach Abzug der Unkosten – sein Kapital mit einem Schlag verdoppelt! Das mußte gefeiert werden: Im Kreis sei-

ner Gönner (der Gouverneur sollte am nächsten Tag nach Holland zurücksegeln und gab aus diesem Anlaß ein großes Abschiedsbankett) verbrachte Fernberger einen vergnügten Abend. Auch wenn dabei naturgemäß die alte traurige Geschichte wieder die Runde machte: Denn der Gouverneur war vor Jahren gemeinsam mit seinem Bruder nach Jakarta gekommen, diesen aber hatte der König von Aceh im Norden Sumatras den Elefanten vorgeworfen, und er war an den Verletzungen gestorben.
In Jakarta nahmen nach dem Auslaufen der Flotte nach Holland die Dinge wieder ihren gewohnten Gang. Ein Einheimischer wurde von einem Tiger angefallen und zu Tode gebissen, ein Soldat fiel von der Bastion, ein Flüchtlingsboot aus dem westlich benachbarten Bantam landete, besetzt mit fünf alten javanischen Frauen in Begleitung von drei halbwüchsigen Jungen.
Nur zwei Wochen nach seiner Rückkehr brach Fernberger wieder auf. Sein Ziel war eben jenes Königreich von Bantam, seine Reisegefährten zweiundachtzig Chinesen und vierunddreißig Javaner, sein Schiff eine unsinkbare chinesische Dschunke. Bantam lag im Westen Javas, keine drei Tage entfernt, und hatte früher den Handel in der Region abgewikkelt. Inzwischen aber lief dieser fast ausschließlich über die englische und die holländische Faktorei in Jakarta.
Auf dieser Reise hatte Fernberger keine Handelswaren sondern sechshundert Silberstücke im Gepäck: Diesmal galt es einzukaufen. Von den Chinesen hatte Fernberger vorab günstig einige repräsentative Gewänder erstanden, bestickte Seidenkleider samt Accessoires. Mit Bedacht wählte er nun eines davon aus, ließ sich an Land setzten und machte sich auf zum Palast.
Auf das „Was willst du?“ des Königs antwortete Fernberger zunächst mit einer demütigen Verneigung nach Landessitte: Er setzte sich auf die Erde und legte die Hände auf den Kopf. Dann stand er wieder auf und präsentierte seine Geschenke: ein rotes Kleid mit goldenen Stickereien und einen Turban von gleicher Arbeit. Es war offensichtlich, daß er den Geschmack des Königs getroffen hatte.
Jetzt wagte er zu sprechen: „Ich bin ein Freimann und niemandem unterworfen. Das Königreich Bantam habe ich weithin rühmen hören. Daher bin ich hierher gekommen mit meinem wenigen Hab und Gut, um hier einzukaufen.“
„Caniari Hollanda?“ fragte der König. Ein Holländer? Nein!
„Chichi Hollanda“, beeilte sich Fernberger zu antworten.
Dem König gefiel, was er sah und hörte. Er winkte seinem Hafenkapitän, der auch den Zoll der Kaufleute einhob und legte ihm den Gast ans Herz. Er möge diesem bei allen Wünschen und Geschäften behilflich sein, wurde ihm weiters aufgetragen. Dann nahm der König die Betelnuß, die er gerade gekaut hatte, aus seinem Mund und reichte sie Fernberger. Der war gewappnet und wußte um die große Gnade dieser Geste, bedankte sich und kaute wie erwartet. Zum guten Schluß wurde ihm aufgetragen, vor seiner geplanten Abreise noch einmal vorzusprechen.
So bezog Fernberger ein Kaufmannslogis und erkundete die Stadt. Bantam war berühmt für seinen großen Sklavenmarkt, auf dem junge Mädchen feilgeboten wurden. Fernberger konnte nicht wi-

derstehen und kaufte drei. Bei Geschäften mit den Pfefferhändlern war mehr Vorsicht geboten: Sie galten als hinterlistig (packten etwa nassen Sand in die nach Gewicht verkauften Säcke) und obendrein als blutrünstig. Ein Streit war rasch entfacht, ein Kris schnell gezogen und sobald der Kontrahent tot am Boden lag, rannte der Mörder Amok. Schrie und stach blindlings auf Passanten ein, bis ein anderer ihn tötete. Dennoch erhielt der Mörder hier ein ehrliches Begräbnis. Am Grab trauerten dann dessen Frauen gemeinsam mit jenen, deren Männer er getötet hatte. Fernberger war kaum in der Stadt, als er einen Amoklauf aus sicherer Entfernung mitansehen mußte. Diesmal endete die Sache untypisch: Der Amokläufer schaffte es lebend bis vor den Richter. Am Ausgang änderte das wenig: Ein Angehöriger eines Opfers zog seinen Kris und stach ihn ihm ins Herz.

Obwohl die Javaner vom Typ her eher schmächtig waren, wurde ihre Tapferkeit weithin gerühmt. Sie enterten selbst europäische Schiffe, bewaffnet mit ihren gekrümmten Dolchen und langen Messern zwischen ihren Zähnen, und sie verfügten über Zauber, die sie unverletzlich machen sollten. Christoph Carl Fernberger setzte aus Neugier mehrmals stattliche Summen aus, um einem sein Messer in die Hand stechen zu dürfen. Für den Fall, daß der Schutzzauber tatsächlich wirkte und die Klinge nicht durchging, sollte diesem das Geld winken. Doch niemand wollte sich je auf dieses Geschäft einlassen.

Als zimperlich aber konnte man die Javaner beim besten Willen nicht bezeichnen. Die Frauen standen den Männern dabei in nichts nach. Abgeschreckt von den spitz zugefeilten und schwarz gefärbten Zähnen und den langgezogenen Ohren mit großen Löchern verzichtete Fernberger auf nähere Kontakte. Was ihm binnen kürzester Zeit vier Giftanschläge auf sein Leben eintrug – so rächten die Damen hier unerwiderte Liebe.

Das Königreich Bantam war einer der größten Pfefferproduzenten der Region. Sowohl Menge als auch Qualität galten als hervorragend. Um zu verhindern, daß dieser wertvolle Pfeffer an der V.O.C. vorbeigeschleust wurde (da das Einvernehmen mit dem König nicht das beste war), hatten die Holländer auf der Reede von Bantam drei Kriegsschiffe stationiert. Ohne Befugnis durften andere nicht passieren. Doch in Bantam ließ man Pfeffer eher verderben, als ihn den Holländern zu verkaufen. Christoph Carl Fernberger staunte nicht schlecht, als er die übervollen Lagerhäuser der Stadt inspizierte und zusah, wie schimmlig gewordene Ware ins Meer gekippt wurde. Er selbst konnte von den Umständen nur profitieren.

Binnen einer Woche waren seine Geschäfte getätigt, und zur beiderseitigen Zufriedenheit wechselten billiger Pfeffer und harte Silberstücke den Besitzer.

Am 5. März sprach Christoph Carl Fernberger wieder beim König vor. So wohlwollend wie er aufgenommen worden war, wurde er jetzt verabschiedet. Er erhielt einen Sack Pfeffer als Geschenk und die Einladung, dem abendlichen Fest beizuwohnen, bei dem der aufgeputzte Harem des jugendlichen Monarchen (Fernberger zählte an die sechzig Frauen) zum allgemeinen Ergötzen tanzte. So war es längst Nacht geworden, als er aufbrach. Auf dem kleinen Segelschiff erwarteten ihn seine drei Sklavinnen gemeinsam mit der javanischen Mannschaft. Drei Tage später kamen alle glücklich in Jakarta an. Einer seiner ersten Wege führte Christoph Carl Fernberger wieder ins Fort zum General. Der wollte alles wissen über die Reise nach Bantam und lud Fernberger gleich zum Essen ein. Um das Geschäftliche sollte sich in der Zwischenzeit der Zahlmeister der V.O.C. kümmern, den der General anwies, Fernbergers Pfeffer zum üblichen Preis abzunehmen. Unterm Strich ergab sich damit erneut eine außergewöhnlich gewinnbringende Handelsfahrt.

Am selben Tag, an dem Fernberger von Bantam kommend die Reede von Jakarta erreichte, traf auch ein zweites Schiff im Hafen ein. Der große englische Segler kam aus dem Norden Sumatras und hatte schiffbrüchige Holländer an Bord. Die fünfundzwanzig geretteten Männer waren die einzigen Überlebenden der *Zeeland*, eines Handelsfahrers, der Seide, Silber und Nelken geladen hatte und bei Nacht auf eine Klippe aufgelaufen war. Einhundertachtzehn Männer waren bei dem Unglück ertrunken.

Tags darauf lief die große *Rotterdam* in Jakarta ein. Sie hatte ihre Reise von der indischen Koromandelküste aus angetreten und an die vierhundert indische Arbeitssklaven mitgebracht. Es waren allesamt kleine, dunkelhäutige Menschen, die aus dem Reich des Großmoguls im Norden des Subkontinents stammten und von der V.O.C. zum Stückpreis von vier Talern eingekauft wurden. Soviel kostete in Bantam ein Sack Pfeffer. Gebraucht wurden sie für die groben Arbeiten beim Bau der Stadt und zum Gewürzpflücken, wozu sie weiter auf die umliegenden Inseln verfrachtet wurden. Es war ein jämmerlicher Haufen halbnackter Gestalten, der aus dem Schiffsbauch der *Rotterdam* quoll. Rund dreihundert waren während der Überfahrt gestorben, stellte sich bei der Zählung am Ende heraus. Darüber wunderte sich allerdings keiner: Schließlich lebten sie wie Schweine und hatten alle Läuse, wußte man sich zu erzählen. Selbst die, die in Jakarta lebend an Land gingen, waren fast alle hinfällig oder krank.

Auf der *Rotterdam* war auch einer von Fernbergers ehemaligen Kameraden von der *Goeden Fortuin* gefahren. Das Bündel, das dieser im Arm trug, als er das Schiff verließ, entpuppte sich als Säugling. Fernberger staunte nicht wenig.

„Ich hab's unten neben seiner toten Mutter liegen sehen, da war es acht Tage alt. Keiner wollte sich darum kümmern."

Aus Barmherzigkeit hatte der Seemann das Kleine zu sich genommen, gewaschen, gefüttert und den Rest der Fahrt bei sich an seinem Schlafplatz behalten. Mit der Zeit sollte der Mann das kleine Mädchen so lieb gewinnen, als ob es sein eigenes wäre. Als er jetzt an Land ging, erbat er sich das Kind beim zuständigen Beamten der V.O.C. und übergab es dann einer einheimischen Amme. Und als er wieder zurück aufs Schiff mußte, versprach er wiederzukommen. Ein halbes Jahr später war er tatsächlich wieder da. Die letzte Fahrt hatte ihm ein kleines Vermögen an Prisengeld eingebracht. Mit den tausend Talern gründete er einen Hausstand für sich und das kleine Mädchen, das man ihm inzwischen schon überall hin nachlaufen sah. In der Kirche der Stadt wurde die Kleine nun auch getauft und fortan Maria genannt – Christoph Carl Fernberger stand darüber Pate. Kaum zwei Monate später sollte sein Kamerad sterben, sein Haus und sein Vermögen hatte er dem kleinen Sklavenmädchen vermacht.

Noch aber war es nicht soweit. Christoph Carl Fernberger freute sich über das Wiedersehen und lud seinen Kameraden in sein neues Haus, das er gerade für dreißig Taler erstanden hatte. Mit seinen eigenen Sklavinnen besaß er jetzt ein komplettes Heim. Zwei Tage später brachte ein Bote des Generals ein Geschenk zum Einstand: drei Meerkatzen, die der General wiederum von einem offiziellen javanischen Gast erhalten hatte. Fernberger bedankte sich herzlich für die Tiere.

„Aber das war doch ein Scherz!" gab der General zurück und sandte tags darauf sein eigentliches Geschenk zur Aussteuer: zwei wertvolle Sklaven.

An diesem Tag warf auch die *Arnemuiden* auf der Reede von Jakarta Anker. Sie brachte zwei weitere Schiffe mit, die sie vor Singapur aufgebracht hatte. Die eroberten Prisen waren portugiesische Frachtschiffe aus Goa, voll beladen mit den besten und teuersten Waren, die in der Region gehandelt wurden. Die fette Beute brachte der V.O.C. eine hübsche Summe ein und Jakarta ein Spektakel. Für die fünfzig Portugiesen allerdings, die die Gefangennahme überlebt hatten, bedeutete es, in Eisen geschlagen zu werden und den Rest ihres Lebens im Fort von Jakarta zu verrotten.

Erst zwei Monate später hatte Jakarta wieder ein ähnlich interessantes Stadtgespräch: Zwei Japaner, die als Büttel für den Stadtrichter tätig waren, waren angewiesen worden, einen Deutschen vorzuführen, der sich schon mehrmals unerlaubterweise nachts von seinem Schiff gestohlen hatte. Die beiden bekamen den Mann in der folgenden Nacht zunächst tatsächlich zu fassen, aber irgendwie konnte er anschließend wieder entwischen. Mit gezückten Schwertern rannten die beiden Japaner hinterdrein, stellten den Mann und töteten ihn. Zum einen hatte ihr Auftrag aber anders gelautet, zum anderen hatten sie den Mann bei dieser Gelegenheit schrecklich zugerichtet und in gut dreißig Stücke zerteilt. Um der Gerechtigkeit willen wurden sie daraufhin unter Arrest gestellt und vier Wochen später zum Tod verurteilt.

Der General wollte dennoch Gnade walten lassen. Die Verurteilten sollten jeder ein Los ziehen und nur derjenige, der das Schwert zog, würde sterben müssen. Der andere hingegen sollte gehen, wohin er wolle. Der Gouverneur persönlich erklärte den beiden Verurteilten dieses Prozedere auf japanisch. Worauf diese erklärten, sie würden gern sterben, aber nur gemeinsam. Für die V.O.C. aber war Gnade nicht diskutierbar. Der Hut mit den beiden Zetteln wurde gebracht. Wieder beteuerten die beiden, lieber gemeinsam sterben zu wollen und weigerten sich, zu ziehen. So griffen schließlich der Gouverneur und der Finanzbeamte der V.O.C. stellvertretend für sie in den Hut. Damit war die Entscheidung gefallen und es ging weiter zum Richtplatz. Bevor jemand etwas sagen konnte, ließen sich die beiden Japaner gleichzeitig auf die Knie fallen und legten ihre Köpfe nebeneinander auf den aufgeschütteten Sandhaufen.

Der Henker bedeutete dem einen, so ginge das nicht, er müsse zur Seite treten – erst sei der andere dran, dann käme er. Kaum war also dem ersten der Kopf abgeschlagen, wollte sich der zweite wieder zu Boden werfen. Der Gouverneur hinderte ihn daran und versuchte ihm begreiflich zu machen, daß er nicht sterben müsse, weil man ihm das Leben geschenkt hatte.

Doch die Botschaft hatte eine unerwartete Wirkung: Händeringend bat der Japaner um seinen Tod, kniete etliche Male nieder, schrie, er würde nicht weggehen, schrie, man möge ihm endlich den Kopf abschlagen ... Zuguterletzt mußte man ihn mit Gewalt vom Richtplatz zerren.

Nach zehn Tagen Arrest (in denen er streng bewacht und daran gehindert wurde, sich selbst das Leben zu nehmen) setzte die V.O.C. ihren Gefangenen wieder auf freien Fuß. Aber der Mann blieb danach melancholisch – im Gegensatz zu seinem getöteten Kameraden, der katholisch gewesen war, war er kein Christ.

Noch bevor diese Geschichte ihren Ausgang gefunden hatte, bekam Christoph Carl Fernberger vom Rat der V.O.C. die Erlaubnis, um die er gebeten hatte: die offizielle Genehmigung einer Reise zu den Pescadores.

„Wenn Ihr dort so verfahrt wie bisher, werdet Ihr bald ein steinreicher Mann sein!"

„Mir geht es dabei nicht nur ums Geld", erklärte Fernberger, „ich möchte mir die fremden Länder ansehen."

Die Herren quittierten diese Antwort mit Gelächter. Und zu ihnen gewandt schloß der General die Sitzung mit: „Er wär' kein Oberdeutscher, wenn er nicht diesen merkwürdigen Humor hätte!"

8. Kapitel

Wie die Gier nach Gold neue Weichen stellt

Die Pescadores – Fischerinseln – lagen in der Meeresstraße zwischen dem chinesischen Festland und Taiwan. Um den Handelsverkehr mit China anzukurbeln, hatten die Holländer dort erst in den letzten Monaten ein kleines Kastell errichtet.

Nach Abschluß aller Vorbereitungen ging Christoph Carl Fernberger gemeinsam mit drei anderen Freileuten am 27. Juli an Bord der *Engelse Beer*. Im Laderaum befanden sich seine Waren: Pfeffer, Nelken, Reis und Arrak, einheimischer Reisbranntwein. Ihr Wert belief sich auf sechstausend *Reales*. Das war bereits das Zehnfache des Handelsvolumens der letzen Reise.

Mit dem Monsun im Rücken ging die Reise zunächst nach Osten. Doch am vierten Tag wurde die *Engelse Beer* vom schlechten Wetter überrascht. Der Sturm, der sich erhoben hatte, wurde im Verlauf von wenigen Stunden so stark, daß die Seeleute um ihr Schiff bangten. Da sich der Masttop in den tiefen Wellentälern bedrohlich weit seitlich überlegte, kappten sie den Großmast, um das stark schlingernde Schiff zu stabilisieren. Sofort richtete sich die *Engelse Beer* wieder auf – die unmittelbare Gefahr des Kenterns schien gebannt.

Vier Tage währte dieser Sturm. Die Mannschaft und die Passagiere arbeiteten rund um die Uhr, um zu überleben; setzten Stützsegel, holten sie wieder ein, pumpten Wasser und warfen Ballast über Bord. Als bereits das Trinkwasser knapp wurde, und man daran denken mußte, sich mit Meerwasser zu behelfen, hatte der Himmel endlich ein Einsehen. Es klarte auf. Auf der *Engelse Beer* machte man sich wieder Hoffnungen. Christoph Carl Fernberger wußte, daß in den vergangenen Tagen nicht nur Schiffsausrüstung und Wasserfässer über die Reling gegangen waren, sondern auch gestaute Handelsware und stellte jetzt fest, daß es ihn nicht besonders hart getroffen hatte. Von seinem Hab und Gut fehlten bloß dreißig Säcke Reis.

Als der Sturm tags darauf endgültig abgeflaut war und sich auch die See langsam wieder beruhigte, stellten die Männer einen kleinen Behelfsmast auf. Passende Segel wurden angeschlagen und so konnte die Reise fortgesetzt werden. In der Meeresstraße zwischen Borneo und Celebes und vorbei an den Paternoster-Inseln steuerte die *Engelse Beer* in den nächsten Tagen friedlich auf ihrem Kurs in Richtung Norden.

Am 9. August tauchten am Horizont zwei Schiffe auf. Freund oder Feind? Als klar wurde, daß es sich um spanische Galeonen handelte, die direkt auf sie zu hielten, änderte die Mannschaft den Kurs. Mit geblähten Segeln versuchte die *Engelse Beer* zu fliehen, doch der herrschende Westwind war von Vorteil für ihre Gegner, die immer mehr aufkamen.

Der Kommandant der *Engelsen Beer* traf eine Entscheidung: „Jetzt heißt es: Friss' Vogel oder stirb!" rief er seinen Männern zu. „Stellen wir uns zum Kampf?"

Ein vielstimmiges „Ja!" scholl übers Deck. „Wir wollen kämpfen bis auf den letzten Mann!"

Daraufhin ließ man die holländische Flagge auswehen, das Schanzkleid wurde präpariert und die Kanonen ausgerannt. Die *Engelse Beer* besaß immerhin vierundzwanzig Stück. Alles war bereit für die Schlacht. Jetzt hieß es warten.

Gegen Abend erreichten die beiden spanischen Galeonen ihre Beute. Das erste Schiff eröffnete das Feuer: Drei Kugeln, doch jede ging zu hoch. Die *Engelse Beer* antwortete mit drei Schüssen. Ebenfalls kein Treffer. Inzwischen hatte der zweite Spanier die Holländer achtern passiert und kreuzte in ihrem Lee wieder auf. Als die drei Schiffe alle auf einer Höhe standen, begann auch dieses Schiff zu feuern und auf der *Engelsen Beer* splitterte zum ersten Mal das Holz. Jetzt hatte die Schlacht richtig begonnen.

Von zwei Seiten unter Beschuß genommen und selbst aus beiden Batterien feuernd, wurde die *Engelse Beer* bald vom Pulverqualm eingehüllt. Blindlings feuerten die Holländer weiter, bis endlich die Nacht anbrach. Doch anstatt im Schutz der Dunkelheit innezuhalten, rannte man noch einmal alle Rohre aus und schoß glühende Feuerbälle auf die Gegner ab. Dann wurde es still. Die Spanier hatten das Feuer eingestellt.

„Die haben jetzt alle Hände voll zu tun, um zu verhindern, daß ihre Schiffe in Brand geraten!" jubelte der Kapitän der *Engelsen Beer*. Und tatsächlich ließen sich beide Gegner zurückfallen, bis sie außerhalb der Reichweite der gefährlichen Geschosse lagen.

Erst jetzt hielten auch die Holländer inne. Neun Tote zählte man an Deck und dreizehn Verletzte. Trotzdem war man froh, noch so glimpflich davongekommen zu sein. Doch es war wohl noch nicht zu Ende. Geschah kein Wunder, mußte man für den nächsten Morgen mit einem zweiten Angriff rechnen. Nachdem Schiff und Batterien wieder gefechtsklar gemacht worden waren, blieb etwas Zeit, die Toten zu bestatten: Jeder bekam zwei Eisenkugeln angehängt, dann gingen sie über Bord. So konnten keine Leichen abgetrieben werden, die den Gegner über ihre Verluste ins Bild gesetzt hätten.

Als die Sonne am nächsten Morgen aufging, kamen die spanischen Galeonen erneut auf, teilten sich und nahmen die *Engelse Beer* wieder in die Zange. Die Schlacht begann, und wie am Vortag feuerten die Holländer bald völlig blind nach beiden Seiten.

Der Kapitän mußte sich fragen, wie lange sie das wohl durchhalten konnten. „Sollen wir uns ergeben? Sag' es jeder frei heraus!"

„Niemals!" riefen die Männer wie aus einem Mund. „Lieber kämpfen und sterben, als elend in Gefangenschaft leben!"

So ging das Gefecht weiter. Wenige Augenblicke später lag der Kapitän am Boden: Eine Kanonenkugel hatte ihm ein Bein unterhalb des Knies abgerissen. Blut spritzte und Fleischfetzen klebten an den Gesichtern der Umstehenden.

„Courage! Courage!" rief der Einbeinige den Männern zu. „Ich bin nur ein Mann – nicht das ganze Schiff!"

Von diesen Worten neu beflügelt begann die *Engelse Beer* wieder aus allen Rohren zu feuern. Christoph Carl Fernberger hatte sich wie am Vortag bei einer der Kanonen einteilen lassen. Erfahrung brachte er schließlich zur Genüge mit. Als er sich jetzt bückte, um die Kanone auszurichten, durchschlug eine Kugel die Bordwand und riß ihm den Luntenstock aus der Hand. Er selbst stürzte ebenfalls zu Boden und blieb regungslos liegen.

Für seine Kameraden war er nur ein weiterer Toter, der hier nichts mehr zu suchen hatte. Zwei von ihnen schleiften ihn weg und warfen ihn durch ein Luk ins Unterschiff zu den anderen Leichen. Doch Fernberger war nur bewußtlos gewesen, durch den harten Aufprall kam er mit schmerzendem Schädel wieder zu sich. Erstaunt sah er sich um und fragte sich, was er hier machte. Wie war er hierher gekommen? An die letzten Momente fehlte ihm jede Erinnerung.

Über ihm war das Gefecht nach wie vor im Gange. Fernberger kletterte wieder hinauf aufs Batteriedeck und kämpfte weiter. Als der Kapitän seiner Verletzung erlag, übernahm der Obersteuermann das Kommando. Die Mannschaft reagierte mit einhelliger Zustimmung und stürzte sich mit neuem Elan in den Kampf.

Die Lage war unverändert, trotz der vielen Treffer war keines der drei Schiffe kampf- oder manövrierunfähig geschossen. Da änderte eine der spanischen Galeonen die Taktik. Das Schiff hielt jetzt direkt auf die *Engelse Beer* zu und legte sich in einer eleganten Kurve direkt neben sie. Wohl vierzig Spanier quollen gleichzeitig über die Reling, Entermesser in den Händen und Musketen im Anschlag.

„Vos queréis perdón?"

Um Pardon bitten? „No!"

Noch bevor einer der Spanier einen Schritt vorwärts machen konnte, flog das Oberdeck in die Luft. Die Holländer waren auf die Enterung vorbereitet gewesen, hatten auf den Planken Pulver gestreut und es jetzt in Brand gesteckt.

Rund die Hälfte der Spanier fiel sofort tot zu Boden, über die anderen fielen die Holländer her. Wer nicht selbst ins Meer sprang, wurde durch die Speigatten ins Wasser geworfen – egal ob tot oder lebendig. So war die *Engelse Beer* im Handumdrehen wieder ein freies Schiff, trotzdem konnte sie den Attacken von zwei überlegenen Gegnern wohl nicht mehr lange standhalten.
Während die Mannschaft wieder ihre Plätze an den Kanonen einnahm und das Feuer wieder eröffnete, verließ der neue Kapitän das Achterdeck. So aussichtslos wie ihre Lage war ihr Kampf. Mit dem achtjährigen Sohn seines Vorgängers an der Hand stieg er hinunter in die Kammer des Geschützmeisters und öffnete dort ein Faß Pulver. Drückte dem Jungen eine brennende Lunte in die Hand und sagte: „Wenn ich dich rufe, dann wirfst du das in dieses Faß, hast du verstanden?“
Der Junge nickte.
„Wenn du alles genauso erledigst, wie ich es dir auftrage, bekommst du nachher zur Belohnung schöne neue Kleider.“
Wieder nickte der Junge: „Das mach' ich!“
Oben an Deck genügte dem Kapitän ein Blick, um zu sehen, daß sich die Situation in der Zwischenzeit geändert hatte: Eine Kugel aus ihrem Buggeschütz – bedient durch den Geschützmeister persönlich – hatte den Rumpf der größeren der beiden Galeonen unterhalb der Wasserlinie durchschlagen. Soweit er sehen konnte, zog sie so schnell Wasser, daß sie zu sinken drohte.
Der erste Gegner war ausgeschaltet! Schon begann die Galeone seitlich abzufallen, bald war sie außer Reichweite. Auf der *Engelsen Beer* nahm man gerade noch zur Kenntnis, daß die Mannschaft drüben versuchte, das Schiff zu krängen, um das Loch im Rumpf provisorisch abzudichten, dann stürzte man sich mit neuem Mut auf den verbleibenden Gegner. Alle Geschütze feuerten jetzt nach Steuerbord. Es dauerte nicht lange und die doppelten Breitseiten zeigten Wirkung: Die zweite Galeone fiel ab und schloß zu ihrer Begleiterin auf. Zumindest im Moment gaben die Spanier den Kampf verloren! Seit dem ersten Schuß am Morgen waren sieben Stunden vergangen.
Nach dem ersten Aufatmen nahm der Kapitän Christoph Carl Fernberger beiseite und erzählte, wozu er den Jungen unten vorgesehen hatte. Wären die Spanier noch einmal zum Entern herangekommen, hätte er ihm den Befehl gegeben, das ganze Schiff in die Luft zu sprengen. Jetzt aber wußte er nicht, wie er den Jungen wieder vom Pulverfaß und seiner Aufgabe loseisen sollte.
„Ich mach' das!“ antwortete Fernberger. Er stieg hinunter, trat stillschweigend in die Kammer und wand dem Kind die brennende Lunte aus der Hand, noch bevor es reagieren konnte. Der Junge begann zu weinen und rannte hinaus.
Oben an Deck lief er schnurstracks zum Kapitän und rief unter Tränen: „Der Freimann Christoffel hat mir die Lunte weggenommen!“
„Schweig' still“, bekam er zur Antwort, „ich hab's ihm befohlen. Dein neues Kleid sollst du trotzdem bekommen!“
So kehrte auf der *Engelsen Beer* wieder Frieden ein. Die beiden Spanier jedoch hatten weiterhin zu tun, das leck geschossene Schiff über Wasser zu halten.

Sie dümpelten nach wie vor in der Nähe, aber außerhalb der Reichweite der Kanonen. Die Holländer beschlossen, den Schauplatz ebenfalls nicht zu verlassen, obwohl die Gelegenheit zur Flucht günstig gewesen wäre. Lieber gab man vor, den Kampf jederzeit wieder aufnehmen zu wollen. Ein gewagtes Spiel, doch alle spielten mit, berauscht vom glücklichen Ausgang der Schlacht.

Die Männer feierten ihren Sieg ausgelassen, obwohl ein jeder Freunde verloren hatte: Zweiundvierzig Leichen wurden ins Meer geworfen und achtunddreißig Verwundete vom Barbier versorgt. Nur vierzehn von ihnen sollten überleben. Dann wies man den Koch an, das beste Essen, das das Schiff zu bieten hatte, auf den Tisch zu stellen, und jeder steuerte zum Festschmaus bei, was er konnte. Fernberger hatte drei Flaschen von seinem Branntwein geholt, die die ausgelassene Stimmung zusätzlich anheizten. Obwohl jeder Blessuren oder zumindest blaue Flecken davongetragen hatte, wurde auf der *Engelsen Beer* die halbe Nacht getanzt und gesungen.

Am nächsten Morgen waren die beiden spanischen Galeonen veschwunden. Plötzlich hatten alle Lust weiterzukämpfen. Und wäre ihr Schiff nicht so ramponiert gewesen, hätten sie die Spanier jetzt gejagt, gestellt und geschlagen! Das war der einhellige Tenor an Bord. Unter den gegebenen Umständen machte man sich hingegen daran, die Schäden auszubessern: das weggesprengte Oberdeck, das zerschossene Schanzkleid, die zerfetzten Segel. Dann nahm die *Engelse Beer* ihren alten Kurs wieder auf und segelte binnen acht Tagen bei gutem Wind und schönem Wetter nach China.

Drei Wochen nach der Abfahrt in Jakarta, am 17. August, kletterte das chinesische Festland über die Kimm, und am Abend erreichten sie die Pescadores-Inseln. Alle Männer an Bord dankten ihrem Schöpfer, daß sie angekommen waren. Denn für die *Engelse Beer* wäre die Fahrt beinahe doch noch zur letzten geraten: Sturm und Gefecht hatten ihre Plankenstöße aufgehen lassen, und in den letzten Tagen machte sie so viel Wasser, daß die Männer rund um die Uhr die Pumpen besetzen mußten, um nicht doch noch mitsamt dem Schiff unterzugehen.

Am nächsten Tag machte man das Beiboot klar und setzte über an Land. Der Kommandant des holländischen Forts empfing sie mit offenen Armen und hörte staunend ihre Geschichte. Als Beamter der V.O.C. lobte er offiziell ihren Mut und ihre Tapferkeit im Dienst der Kompagnie. Und die Kompagnie erwies sich als dankbar. Ihre Belohnung bestand in einem Monatssold zusätzlich für alle mit Dienstvertrag und für die drei Freileute im Erlaß des Zolls.

Die Lage der Holländer auf diesen Inseln vor der chinesischen Küste war diplomatisch noch nicht völlig geklärt. Zwar hatte man die Pescadores für sich beansprucht, ein Fort errichtet und eine kleine Flotte hier stationiert, doch der Plan, von diesem Stützpunkt aus den Chinahandel abzuwickeln, wollte nicht aufgehen. Weder im Guten noch mit Gewalt ließen sich die vorbeifahrenden chinesischen Schiffe zu Geschäften bewegen. Die meisten waren ohnehin nur Seeräuber. Außer Unkosten hatten die Pescadores der Kompagnie in den ersten Monaten nichts eingebracht.

Statt dessen erschien dieser Tage schon wieder eine Gesandtschaft vom Festland beim holländischen Kommandanten. Er hatte längst aufgehört, die Botschafter zu zählen, die ihm alle bestellen ließen, der Kaiser von China würde ihn mit Gewalt vertreiben, sollte er die Inseln nicht freiwillig räumen. Diesmal enthielt die Botschaft aber auch eine Alternative: Die Erlaubnis, von der Insel Taiwan aus Handel zu treiben. Und nachdem sich der Kommandant daraufhin bereit erklärt hatte, auf diese Abmachung einzugehen, erschienen plötzlich handelswillige Chinesen beim Fort, sodaß die Kompagnie zuguterletzt auch noch ein wenig Umsatz machte.

Für die Freileute, die auf der *Engelsen Beer* hier angekommen waren, bedeutete die neue Situation, in den nächsten Wochen beim Abbruch des holländischen Stützpunktes mitanzupacken. Die Geschäfte mußten bis zur Übersiedlung nach Taiwan warten.

So beteiligte sich Christoph Carl Fernberger daran, das Fort abzureißen, die Erdwälle abzutragen und die Holzaufbauten zu verbrennen. Außerdem mußten die Lagerhäuser geräumt werden. Die Fracht wurde auf alle derzeit hier liegenden fünf Schiffe verteilt. Die *Engelse Beer*, frisch kalfatert, übernahm ebenfalls ihren Anteil. Am 5. September war das Kapitel des V.O.C.-Stützpunktes auf den Pescadores Geschichte, und die kleine Flotte stach Richtung Taiwan in See.

Die reichen Holzvorkommen der Insel hatten aus Taiwan ein Piratennest gemacht, denn dort fanden die südchinesischen Seeräuber nicht nur natürliche Häfen, sondern auch bestes Schiffsholz vor. Die einheimische Bevölkerung ertrug diese Besucher. Es waren wilde Leute, die nackt umhergingen und einen Hang zur Unzucht hatten. Verständigen konnte man sich mit ihnen nicht. Nur wenige Chinesen, die sich schon länger auf Taiwan aufhielten, hatten einige Brocken dieses eigentümlichen Malaiisch gelernt.

Obwohl die Sitten hier rauh waren und die Menschen Kannibalen, waren sie doch nicht unfreundlich den Neuankömmlingen gegenüber. Zum Verzehr ihrer Verstorbenen wurden etwa auch Gäste eingeladen – Fernberger im Verlauf der nächsten Wochen gleich zweimal.

Als Dolmetscher für die Holländer fanden sich bald vier Chinesen. Die einen sprachen etwas Portugiesisch, fuhren sie doch jährlich nach Macau, die anderen konnten Spanisch, weil sie sich eine Zeitlang in Manila aufgehalten hatten. Über die Chinesen lief auch der Handel auf der Insel: einheimisches Wild und Häute gegen holländische Glasmurmeln und Messingringe. Mit den Siamesen tauschte man Felle gegen Reis, der wiederum in Jakarta umgeschlagen wurde.

Mehr als zwanzig Breitengrade vom Äquator entfernt war das Klima hier vergleichsweise gesund und frisch, trotzdem wurde der Aufenthalt für Christoph Carl Fernberger in der inzwischen *Zeelandia* getauften Faktorei bald unerträglich. Zuerst mußte er mitanpacken, um dem Kommandanten ein Haus zu bauen, als nächstes sich und seinen Waren ein Dach über dem Kopf schaffen. Als er es endlich bezog, stellte er fest, daß Pfeffer und Reis zu oft naß geworden und inzwischen großteils verdorben waren. Der Branntwein wiederum, den er mitgenommen hatte, war vom holländischen Kommandanten konfisziert worden. Und als schließlich die ersten drei Handelsfahrer vom nahen Festland auftauchten, wurde

den Freileuten gar untersagt, ihre Geschäfte zu tätigen. Zuerst sei die Kompagnie am Zug!
Schließlich brachte die Anordnung des Kommandanten, die Freileute müßten ihre Waren an die V.O.C. abtreten, das Faß zum Überlaufen. Gegen Vorlage der Schuldscheine, die er ihnen ausstellen würde, bekämen sie ihr Geld dann in Jakarta. Auf einen fairen Preis hofften die Freileute allerdings vergeblich. Durch diesen Handel hätte sich das Vermögen Fernbergers praktisch halbiert, für seine Güter (ursprünglich im Wert von sechstausend *Reales*) sollte er jetzt einen Schuldschein der Kompagnie über sechshundert bekommen!
„Die Holländer sind auch nichts anderes als Betrüger!“ ließ er sich bei einem seiner Kameraden aus. „Sie nehmen sich, was sie wollen. Einfach mit Gewalt.“
Sein Entschluß, von hier wegzugehen, stand fest. Mit dem Kommandanten handelte er so lange, bis der ihm wenigstens hundert Silberstücke in bar aushändigte, und nahm in Kauf, daß er dafür die Summe auf dem Schuldschein auf vierhundert drückte. Zumindest konnte er Taiwan jetzt verlassen!
„Nimm’ das Geld für mich ein, wenn du wieder in Jakarta bist“, sagte er zu dem Freimann, dem er den Schein anvertraute. „Und wenn ich nicht wiederkomme, dann behalt’ es und mein Haus dazu. Meine Sklaven aber sollen nach drei Jahren freigelassen werden.“
Die einzige Möglichkeit, sich hier von den Holländern zu trennen, war auf eine der chinesischen Dschunken zu kommen. Da traf Fernberger einen Chinesen, den er von Jakarta kannte. Im folgenden Gespräch legte sich Fernberger mächtig ins Zeug: Er wolle nach China. Es müsse doch eine Möglichkeit geben? Er würde auch alles tun, was verlangt sei, sogar sich als Diener gebrauchen lassen. Sein ganzes Vermögen solle er bekommen ...
Allein, es half alles nichts. Geduldig erklärte ihm der Chinese, warum kein Europäer jemals seinen Fuß nach China setzen würde. China war ausgeschlossen, aber Quanzhou – das würde gehen. Zumindest wenn Fernberger vorgäbe, Portugiese zu sein.
Zenzau! Das war der große Hafen am gegenüberliegenden Festland. Der feine Unterschied zwischen China und dieser Küstenstadt lag in dem dortigen Portugiesenviertel, das der Kaiser zu Handelszwecken billigte. Fernberger schlug ein. Er gab dem Chinesen zwanzig *Reales* für seine Dienste, worauf dieser ihm einschärfte, sich ab sofort auf Abruf bereit zu halten. Nichts leichter als das.
Am 6. Oktober ging Christoph Carl Fernberger gemeinsam mit seinem neuen Kameraden an Bord einer der Dschunken. Er trug dessen chinesische Kleider und Schuhe und er teilte mit seinem Chinesen auch Nachtlager und Essensrationen. Binnen drei Tagen war die schmale Meerenge durchquert, und die Dschunken liefen in eine breite Flußmündung ein. Dort lagen schon zwei portugiesische Fregatten vor Anker. Die eigentliche Stadt war nicht zu sehen, sie lag ein Stück flußaufwärts.
Die Weiterfahrt ging gleich am nächsten Tag vonstatten. Fernbergers Begleiter organisierte ein kleines Boot, und wenig später stand Fernberger tatsächlich in einer chinesischen Stadt. Ein Abschiedsgeschenk und ein Lebewohl – dann war er wieder allein.

9. Kapitel

Im Dienst einer Königin

Es dauerte nicht lange, und Fernberger wurde angesprochen. Freundlich hieß ihn ein Portugiese willkommen. Woher er denn käme? Fernberger konnte sich mit Portugiesisch ein wenig behelfen und erzählte, was ihm angemessen erschien.

Daraufhin nahm ihn der Unbekannte mit in sein Haus. Dort traf Christoph Carl Fernberger auf einen weiteren Portugiesen, einen Jesuitenpater, der aus dem indischen Goa gebürtig war. Beide wunderten sich, daß Fernberger den Mut gehabt hatte, an Bord der Dschunke zu gehen und noch viel mehr, daß die als selbstgefällig geltenden Chinesen ihn nicht ermordet hatten.

Fernberger hatte zwei angenehme Gesprächspartner gefunden. Man unterhielt sich gut, und da die Sympathie offensichtlich gegenseitig war, fragten die beiden irgendwann, ob sich Fernberger ihnen nicht anschließen wolle. Sie würden innerhalb der nächsten acht Tage ins Königreich Siam aufbrechen. Ihm wäre so daran gelegen, erklärte der Jesuitenpater, weil er schon einmal einen Deutschen zum Reisegefährten gehabt habe, der ihm viele gute Dienste erwiesen hätte. Bei Fernberger würde er Gelegenheit finden, sich zu revanchieren. Fernberger streckte ihm daraufhin seine Hand entgegen, sagte, er wolle ihm treu sein bis in den Tod. Der andere schlug ein und stellte sich als Emanuel Rodrigo vor. Sein Vater war von hoher Abstammung gewesen und selbst noch in Portugal zur Welt gekommen.

Von seinem neuen Gefährten erhielt Fernberger passende portugiesische Kleidung, von der Art, die die Portugiesen in Indien zu tragen pflegten, dann traten die beiden auf die Straße. Fernberger wollte sich die Stadt ansehen, und sein Begleiter hatte sich angeboten, ihm alles zu zeigen.

Zenzau war eine durch und durch chinesische Stadt. Portugiesen konnten sich frei bewegen, würde jedoch einer versuchen, durch ihr landwärts führendes Tor zu gehen, die Chinesen würden ihn auf der Stelle erschlagen. Bis auf die Gäste wohnten in der von einem Wassergraben umgebenen Stadt nur Chinesen in ihren nach seltsamer Manier gebauten Häusern. Sehr hübsch waren die geschwungenen Dächer mitsamt ihrem Schnitzwerk und vergoldeten Leisten, befremdlich die offenen, von der Straße einzusehenden Räume. In praktisch jedem Haus sah Fernberger kleine Götzenaltäre mit brennenden Kerzen. Und über den Türen sollten die aufgemalten Zeichen wohl das Böse fernhalten.

Anders als geplant verschob sich die Abreise nach Siam. So hatte Fernberger Zeit, sich genauer umzusehen, die chinesische Lebensart zu beobachten und das Wesen der Leute kennenzulernen.

Der Alltag spielte sich hier zwischen nächtlichem Glücksspiel und tagsüber gefrönten ungezügelten Leidenschaften ab. Überall und jederzeit wurde Tee aus kleinen Porzellanschälchen getrunken, manchmal auch Tabak geraucht. Die Leute ließen sich anhand ihrer Kleidung nicht nach ihrem Stand unterscheiden, alle sahen hier gleich aus, selbst Männer und Frauen. Gewalttätig waren sie nicht, die bartlosen, feminin wirkenden Männer, im Gegenteil. Sie neigten zum Weinen. Außerdem übertrafen sie wohl jede andere Nation mit ihren technischen und wissenschaftlichen Fertigkeiten. Irgendwann mußte Fernberger sich eingestehen, daß selbst die Bewohner von Zenzau, das sicher nicht der strahlendste Ort Chinas war, soviel Erzählstoff boten, daß er mit ihrer Beschreibung ein ganzes Buch hätte füllen können.

Nach fünf Wochen war es dann soweit: Christoph Carl Fernberger schiffte sich mit seinen neuen Begleitern auf der portugiesischen Fregatte *Santa Luzia* ein, um nach Siam zu reisen. Seine Kammer teilte er mit Pater Rodrigo. Dabei machte sein Reisegefährte keine Anstalten, seinen Reichtum zu verbergen – im Gegenteil: So er sterben werde und Fernberger bei ihm wäre, solle er all sein Hab und Gut an sich nehmen, bestimmte er.

Tags darauf, es war der 16. November 1624, setzte die *Santa Luzia* Segel. Gefolgt von einer offenbar mißtrauischen chinesischen Dschunke, die ihr noch einige Meilen folgte, hielt sie dann aufs offene Meer zu. Fernberger fand im portugiesischen *Capitão*, der recht gut Malaiisch sprach, bald einen zweiten Gönner. Ein weiteres verlockendes Angebot erhielt er ebenfalls: Falls Fernberger wolle, würde ihn der Kapitän nach Manila mitnehmen und beim dortigen Kommandanten empfehlen.

Fürs erste aber stand die Reise nach Siam auf dem Programm. Zehn Tage dauerte die Fahrt, ohne Stürme, ohne unliebsame Überraschungen oder andere Katastrophen. Nachdem sie auch noch den Unterlauf eines breiten Flusses hinaufgesegelt war, hatte die *Santa Luzia* die angestrebte Reede erreicht.

Der siamesische König unterhielt hier einen freien Hafen. Schiffe jeder Nation waren willkommen, solange sie sich gegenseitig respektierten. Als die *Santa Luzia* eintraf, gesellte sie sich zu zwei weiteren portugiesischen Fregatten aus Malakka und einer holländischen Yacht, die friedlich neben einer japanischen Dschunke und sechs malaiischen Prauen schaukelten.

Das jährliche Hochwasser im Oktober war längst vorbei, und die Handelssaison hatte schon begonnen. Im umliegenden Schwemmland wurde vor allem Reis angebaut, der gleichzeitig Siams begehrtester Exportartikel war. So gingen die nächsten Tage mit Geschäften hin. Von der Hauptstadt Ayutthaya mit dem Königspalast hörte Fernberger nur reden, sie lag noch viele Meilen flußaufwärts und war für ihn unerreichbar.

Vom kolportierten Gerechtigkeitssinn des alten Königs aber konnte sich Fernberger binnen weniger Stunden selbst überzeugen. Er hatte das holländische Schiff den Fluß hinuntertreiben sehen, nachdem es seine Handelsgeschäfte abgeschlossen hatte. Daß eine der portugiesischen Fregatten wenig später aufbrach, war ihm ebenfalls nicht entgangen. Was dann geschah, machte schnell die Runde: Die Portugiesen hatten die Holländer verfolgt, unter Beschuß genommen und schließlich gekapert. Alle Mann an Bord waren gefangengenommen worden. Der Warenwert der Beute überstieg die kühnsten Erwartungen. Mit ihrer Prise im Kielwasser war die Fregatte anschließend aufs offene Meer entkommen.

Auf der Reede legten daraufhin in aller Eile die zwei Kriegsgaleeren des Königs ab. Die eine hatte eine siamesische Besatzung, die andere eine japanische. Die beiden Schiffe jagten der Fregatte nach, stellten sie und übernahmen das Kommando auf beiden Seglern. Die Holländer wurden befreit, die Portugiesen alle getötet.

Tags darauf trafen alle vier Schiffe wieder auf der Reede ein. Der Befehl des Königs, der jetzt erging, lautete folgendermaßen: Um der Gerechtigkeit und des Friedens auf der Reede willen seien den Holländern nun beide Schiffe samt Ladung auszuhändigen. Die Portugiesen hätten durch ihren schändlichen Angriff allesamt ihr Leben verwirkt – würden die Männer also noch einen lebend ergreifen, sollte er auf der Stelle getötet werden. Das Geld an Bord der Fregatte ging zur Hälfte an die Holländer, die mit dieser Entschädigung mehr als zufrieden waren und zur Hälfte als Prämie an die tapferen Männer des Königs.

Christoph Carl Fernberger hatte sich unterdessen sein eigenes Bild von Siam gemacht. Zum einen waren da die recht rundlichen Frauen in ihren dünnen Hemdchen, die ständig fragten, ob er nicht mit ins Haus kommen wolle, zum anderen die Turbane tragenden Männer, die Speck aßen, obwohl sie doch sichtlich dem mohammedanischen Glauben anhingen. Es dauerte auch nicht lange, und Christoph Carl Fernberger hatte herausgefunden, daß hier jeder soviele Frauen haben konnte, wie er bezahlen und ernähren mochte. Die Kommunikation funktionierte tadellos, weil die Sprache mit so vielen malaiischen Wörtern durchsetzt war, daß er sich problemlos verständigen konnte.

Diesen Umstand wollte sich Pater Rodrigo für seine Geschäfte zunutze machen. Schon nach wenigen Tagen

bat er Fernberger, für ihn eine Handelsreise ins südlich benachbarte Königreich Pattani zu unternehmen, um dort Pharmazeutika für den Markt einzukaufen. Fernberger versprach, alles zu seiner Zufriedenheit auszuführen und als Handelsagent des Paters bis auf Widerruf in Pattani zu bleiben.
Eine Woche nach diesem Gespräch verabschiedeten sich die beiden, und Fernberger brach am 6. Dezember in einer kleinen gecharterten Dschunke auf, gemeinsam mit zehn Rudersklaven und einem siamesischen Navigator. Beladen war das kleine Schiffchen mit rund einem Zentner Seide und zweihundert Elefantenzähnen (letztere, zusammen mit weiteren gut fünfzig Kilo Seide, persönliche Geschenke des Jesuiten). Überdies hatte Pater Rodrigo Fernberger sechshundert *Reales* anvertraut.
Vier Tage dauerte die Fahrt über den Golf von Thailand. Dann traf die kleine Dschunke sicher auf der angesteuerten Reede ein. Fernberger ließ sich an Land bringen und meldete sich beim *Jarino*, dem Hafenmeister. Der hörte sich an, welche Handelsgeschäfte Fernberger tätigen wollte und welche Waren er dafür mitgebracht hatte. Doch als er erfuhr, daß Fernberger aus Siam kam, war das Gespräch abrupt zu Ende. Eigenhändig schaffte der Beamte ihn wieder auf sein Schiff zurück. Niemand, der aus Siam kam, durfte in Pattani einreisen. Ob Fernberger denn nicht gewußt hätte, daß die Königin von Pattani und der König von Siam einander nicht Freund seien?
Schließlich zeigte der Hafenmeister Herz: Er versprach Fernberger, der Königin seine Ankunft zu melden und sein Begehr zu schildern. Er würde ihm Bescheid geben, wenn sie in seiner Sache entschieden hätte.
Im Moment saß Christoph Carl Fernberger also auf der Reede fest. In der Abenddämmerung erschienen zwei kleine Galeeren bei seiner Dschunke, legten sich backbord und steuerbord neben sie und warfen Anker. Fernberger wurde angst und bang. Sein erster Gedanke war, er sollte überfallen werden. Vermutlich warteten die Männer nur auf den Einbruch der Nacht. Über den siamesischen Steuermann ließ er die beiden Galeeren anrufen: Was sie wollten?! Doch es kam keine Antwort. Nach vielen Versuchen endlich war eine Stimme zu hören: Sie seien hier, um Fernbergers Schiff zu bewachen.
Wer wollte das glauben? Fernberger traute dem Frieden nicht. Auf seinem Befehl hin wurde auf der Dschunke die ganze Nacht hindurch Wache gegangen. Bei dem einzigen Geschütz an Bord brannte außerdem zur Sicherheit die ganze Zeit über eine Lampe.
Als der Morgen graute, holten die beiden Galeeren ihre Anker ein und kehrten zur Stadt zurück. Damit war klar, daß sie tatsächlich nur ein mißtrauisches Auge auf den Fremden aus Siam geworfen hatten. Fernberger wartete also weiter.
Gegen Mittag erschien wieder ein kleines Boot. Darin saßen drei Männer. Ohne eigens an Bord zu kommen, stellte sich einer von ihnen als Diener des *Jarino* vor. Er möge alsbaldigst an Land kommen, ließe dieser Fernberger bestellen, alleine, wohlgemerkt. Die Königin geruhe, ihn zu empfangen.
Fernberger zögerte nicht lange und stieg kurz darauf zu den drei Männern ins Boot. An Land angekommen, führte

ihn der Diener zum Haus seines Herrn. Dort hieß ihn der Hafenmeister freundlich willkommen.
Da er allein gekommen war, mußte Fernberger um die Gefälligkeit bitten, das Boot wieder zurück zur Dschunke zu schicken, um eine Aufmerksamkeit für die Königin zu holen, die er mitgebracht hatte.
Es dauerte nicht lange, und die Geschenke trafen im Haus des Hafenmeisters ein: Fernberger hatte drei Bahnen rote Seide, eine Bahn blauen Samt und ein schönes Stück Opium ausgesucht. Jetzt fragte er nach, ob er damit auch bestehen würde.
„Sehr wohl", bekam er zur Antwort.
Der *Jarino* erhielt von ihm einen Silberbarren im Wert von fünfzehn *Reales*. Für Fernberger war es wichtig, sich diesen Mann gewogen zu halten. Er war der einzige, der ihm hier weiterhelfen konnte. Eilig sagte ihm der Beamte seine Hilfe zu. Und er begann sofort mit seiner tatkräftigen Unterstützung.
Für die Audienz waren noch Vorbereitungen zu treffen, insbesondere mußte Fernberger seine Geschenke angemessen präsentieren. Der Hafenmeister stellte eine silberne Schale für das Opium und drei Sklavinnen zur Verfügung, die die Gaben tragen und einzeln vorlegen sollten. Außerdem setzte er Fernberger auf dem Weg in den Palast noch über die Königin selbst und das hiesige Zeremoniell ins Bild.
Bestens vorbereitet, trafen die beiden Männer samt Sklavinnen und Geschenken im Schlepptau vor dem Palast ein. Wie verabredet ging der Hafenmeister zuerst allein vor. Fernberger wartete. Aber es dauerte nicht lange, und der *Jarino* kam wieder, um ihn abzuholen. Durch drei Tore führte er ihn ins Innere des Palastes.
Als Fernberger schließlich vor die Königin trat, legte er die Hände an den Kopf und setzte sich zu ihren Füßen auf den Boden. Hinter ihm erschienen die drei Sklavinnen und breiteten seine Geschenke neben ihm aus.
Die Königin sah ihn lange schweigend an. Dann wandte sie sich ihrem *Jarino* zu und wies ihn an zu fragen, wer und von woher Fernberger sei. Dieser wußte von seinem neugewonnenen Freund, daß die Königin ausgezeichnet Malaiisch sprach und antwortete deshalb jetzt selbst: Er sei ein Christ aus weit entfernten Landen, den es durch Glück und Unglück hierher verschlagen hätte. Und er erzählte: Wo er von einem schönen Land hörte, da zöge er hin, seine Kaufmannschaft zu betreiben. Und weiter: Da er bei seinem Aufenthalt in Siam das Königreich Pattani habe rühmen hören, hätte er beschlossen, es zu besuchen.
Für die Königin blieb trotzdem eine Frage offen: Ob er denn in Siam nicht gehört hätte, daß der König einen Feldzug gegen sie plane?
Fernberger antwortete wahrheitsgemäß und diplomatisch: Davon gehört habe er wohl, aber keinen Grund gehabt, das Gerede auch zu glauben.
Wieder sah ihn die Königin lange an. Dann wurden auf einen Wink von ihr Fernbergers Geschenke weggetragen. Eine Sklavin, die hinter der Königin saß, erhob sich, nahm aus der Hand der Königin eine Betelnuß entgegen und reichte sie weiter an Fernberger. Die große Gnade dieser Geste wußte dieser längst richtig einzuschätzen und steckte die Betelnuß in den Mund.

Wohlwollend wandte sich die Königin unterdessen wieder an ihren Beamten und fragte nach der Art der Handelswaren, die Fernberger bei sich hatte. Der erteilte die gewünschte Auskunft. Daraufhin erschien ein kleines Mädchen mit einer langen Tabakspfeife, die sie der Königin reichte. Diese nahm einige tiefe Züge, gab die Pfeife zurück, das Mädchen trat vor Fernberger, und jetzt war er an der Reihe zu rauchen.

Als Mädchen und Pfeife wieder verschwunden waren, befahl die Königin dem *Jarino*, Fernberger ein Haus für seine Handelswaren zuzuweisen. Außerdem solle er ihm bei der Abwicklung seiner Geschäfte jede Hilfe angedeihen lassen. Und auf Malaiisch, an Fernberger gewandt, fügte sie noch hinzu: Bevor er wieder abreisen wolle, möge er noch einmal bei ihr vorsprechen. Fernberger stand auf und bedankte sich. Dann war die Audienz zu Ende.

Kurz darauf konnte Fernberger bereits das ihm versprochene Haus beziehen. Es bot genug Raum für seine Waren, seine Sklaven und für ihn selbst. Was die Geschäfte betraf, war der Auftrag Pater Rodrigos schnell erfüllt. Zwar meldeten sich sofort einige Interessenten bei Fernberger, doch der schloß lieber einen Exklusivvertrag mit dem *Jarino* ab. Die gewünschten Pharmazeutika (Kräuter, aus denen ein Heiltrank bereitet wurde und eine kühlende Hautsalbe) waren bereits am dritten Tag in der entsprechenden Menge geliefert und aufs Schiff gebracht. Es blieb nur noch, wieder bei der Königin vorzusprechen.

Er wolle die eingekauften Waren zurück nach Siam schicken, selbst aber noch bleiben und eine neue Lieferung von dort erwarten, legte Fernberger bei der Abschiedsaudienz seine Pläne offen. Er durfte bleiben. Die Königin erließ ihm für seine erste Fracht sogar den Zoll. So segelte die kleine Dschunke am nächsten Tag ohne ihn zurück. Mit dem Gewinn der Fahrt würde Fernberger seinem Jesuiten vergelten können, was dieser ihm an Freundlichkeiten erwiesen hatte.

In der Zwischenzeit, während er auf die Rückkehr der Dschunke und auf neue Anweisungen von Pater Rodrigo wartete, schlug Fernberger die Zeit mithilfe der ortsansäßigen europäischen Kaufleute tot. Vierzig Portugiesen und sechs Spanier lebten hier, manche von ihnen schon seit etlichen Jahren. Viele waren Aussteiger, die überhaupt nicht mehr an eine Rückkehr zu den Ihren, geschweige denn an eine nach Europa dachten. Schwierigkeiten gab es nur mit einem Franziskaner, den es ebenfalls hierher verschlagen hatte. Dieser konnte sich bislang mit niemanden vertragen und versuchte sein Glück jetzt bei dem Neuankömmling.

Auf seine Bitte nahm Fernberger ihn in sein Haus auf. Der gute Johann Batista – Fernberger konnte nichts anderes von ihm sagen – erwies sich als frommer Mann und wurde schnell zu einem Freund und Vertrauten. Einträchtig wie leibliche Brüder lebten sie von diesem Tag an zusammen.

Auch das Leben in Pattani ging seinen ruhigen Gang. Die Menschen glichen in Aussehen und Kleidung den Siamesen aufs Haar, nur glaubte man hier an keine höhere Macht, befand Fernberger, sondern lebte einfach nur vor sich hin. Die Feindschaft mit dem benachbarten Königreich Siam allerdings war eine von alters her vererbte. Gerade in dieser Situation hatte Pattani bisher stets gute

Erfahrungen mit seinen weiblichen Herrschern gemacht. Zwar mußten die Kandidatinnen für die Regentschaft auf eine Heirat verzichten, doch wie die derzeitige Königin zeigte, lebte es sich auch gut mit einer langen Reihe von Galanen unten den Hofleuten. Christoph Carl Fernberger sah die Königin regelmäßig auf einem Elephanten durch die Straßen reiten, immer gefolgt von zweihundert Frauen. Männer mußten hier alle zu Fuß gehen.

Nach zehn beschaulichen Tagen brach mit einem Boot, das im Hafen festmachte, der Anfang vom Ende dieses ruhigen Lebens an. Die vierundzwanzig Holländer, die in Pattani angekommen waren, berichteten von einem fürchterlichen Sturm, von einem Schiffbruch und davon, daß die gesamte Besatzung ertrunken wäre. Sie selbst waren zum Zeitpunkt des Untergangs gerade im Beiboot einer einheimischen Prau nachgejagt (weshalb sie auch alle Gewehre bei sich hatten) und hatten nur deshalb überlebt. Nach vier Tagen ohne Proviant hatte sie jetzt der Hunger an Land getrieben. Auf die Königin machte ihre Geschichte keinen Eindruck. Die Holländer hatten sich die Sympathien in Pattani längst verscherzt. Also wanderten die Männer ins Gefängnis, Musketen und Pulver aber in die königliche Rüstkammer.

Wenige Tage später erreichte die Nachricht vom Einfall eines siamesischen Heeres im Grenzland die Hauptstadt. Frauen und Kinder wären nach Siam verschleppt worden, hörte man. Daß die Königin daraufhin eine sofortige Mobilmachung befahl, blieb auch den Europäern nicht verborgen. Schon allein, weil ein offizielles Ersuchen an die Portugiesen und Spanier vor Ort gestellt wurde, Kriegshilfe zu leisten. Diese waren sich schnell einig, dieser Bitte keine Folge leisten zu wollen. Es erging eine abschlägige Antwort.

Als Christoph Carl Fernberger davon hörte, ging auch er zum Palast. Er allerdings kam, um sich für den Feldzug zur Verfügung zu stellen. Ließ sich melden, wurde vorgelassen und breitete vor der Königin und ihrem Generalstab seinen Plan aus: Man solle ihm die gefangenen Holländer samt der erbeuteten Musketen zur Verfügung stellen. Er würde gemeinsam mit ihnen und zusammen mit ihrem eigenen Heer gegen den König von Siam ins Feld ziehen.

Die Königin reagierte skeptisch. Sie war sicher, daß die Holländer bei der ersten Gelegenheit zum Feind überlaufen würden. Fernberger war davon keineswegs überzeugt. Sollte dieser Fall aber tatsächlich eintreten, würde er die Verantwortung dafür übernehmen, bot Fernberger an. Die Königin möge ihn dann nach Gutdünken bestrafen.

Auf diesen Vorschlag ließ sich die Königin ein. Kurz darauf waren die vierundzwanzig Holländer geholt und die Lage geschildert. In die Freiheit entlassen, fielen die Männer auf die Knie und schworen einstimmig, gemeinsam mit Christoph Carl Fernberger treu für das Königreich Pattani kämpfen und sterben zu wollen. Der Königin gefiel, was sie sah und hörte. Sie befahl, dem tatkräftigen Mann mit Kampfgeist und Motivationsgabe auch ihr Sklavenheer zu unterstellen.

Fernberger verneigte sich. Nur gab er zu bedenken, daß die Leute jemand bräuchten, dem sie vertrauten und mit dem sie reden konnten. Daraufhin bestimmte die Königin einen anderen zum Anführer, Fernberger aber gab sie eine Betelnuß aus ihrem Mund. Die Augen aller Umstehenden richteten sich jetzt auf ihn. Fernberger tat, als würde er die hohe Ehre auch tatsächlich empfinden, kaute und wandte sich dann erneut an die Königin. Er war nämlich der Meinung, daß sich die Portugiesen und Spanier ebenfalls noch bereden lassen würden – auch wenn die Königin einwarf, sie hätten ihr geantwortet, sie seien bloß Kaufleute, die nur ihren Zoll abzuführen hätten. Fernberger bot an, als ihr Abgesandter noch einmal mit ihnen zu verhandeln.

Daraufhin nahm die Königin ihren Turban ab, trat zu Fernberger vor, setzte ihn ihm auf den Kopf und sagte: „Pigi attigi petul!“

Der hohen Wertschätzung dieser Geste und ihrer Worte (die in etwa: „Geh hin, aufrichtiges Herz!“ bedeuteten) bewußt, begab sich Fernberger auf der Stelle auf seine Mission.

„Hört mich an!“ begann er, nachdem alle zusammengerufen waren. Und dann versuchte er ihnen wortreich begreiflich zu machen, welchen Schaden sie anrichten würden, wenn sie bei ihrer Weigerung blieben. Schaden unmittelbar für sich selbst, Schaden aber auch für die Europäer generell.

Sie sahen es ein, natürlich. Aber sie waren eben keine Soldaten. Auch nie gewesen. Und es gäbe niemanden, der sie befehligen konnte.

„Wählt einen Anführer!“ sagte Fernberger. „Ich werde ihm beistehen und ihn gut unterweisen.“ Und um ihre Zuversicht zu stärken, setzte er noch hinzu: „Ich hab’ zuvor schon mehr als einmal kommandiert.“

Während sich die Iberer zur Beratung zurückzogen, ging Fernberger nach Hause. Sein guter Johann staunte nicht wenig über den Turban und ließ sich die Geschichte in allen Einzelheiten erzählen. Fernberger kam kaum damit zu Ende, als draußen auch schon die Portugiesen und Spanier aufmarschierten. Sie hätten beschlossen, sich von ihm befehligen zu lassen, wurde ihm mitgeteilt. Fernberger wehrte ab: Er sei Deutscher und sie wären mit einem Landsmann besser beraten. Im Fall des Falles würden sie von ihm keine Befehle entgegennehmen. Statt dessen schlug er ihnen jetzt vor, sich selbst unter das Kommando desjenigen stellen zu wollen, den sie dazu auserkoren hätten.

Doch sie hatten niemanden ausersehen. Er sollte ihr *Capitão* sein.

Bevor die ganze Sache an ihm zu scheitern drohte, lenkte Fernberger ein. Er stimmte zu, die Leute anzuführen. Mit dieser Nachricht machte er sich wieder auf den Weg zum Palast und setzte die Königin über die neue Situation und seine Wahl zum Kommandanten ins Bild.

Am selben Nachmittag wurde vor Fernbergers Haus mobil gemacht. Alle waren erschienen: Portugiesen, Spanier, Holländer. Stattliche neunundsechzig Mann. Fernberger musterte aus: Bruder Johann sollte zuhause bleiben und für sie beten – der Franziskaner hatte im Feld nichts verloren. Untauglich waren auch drei der Holländer. Sie waren so krank, daß sie sich vor Schwäche kaum auf den Beinen halten konnten.

Nachdem alle geschworen hatten, Fernberger die Treue zu halten, ihm zu folgen und mit ihm zu kämpfen, teilte er die Waffen aus. Nur zwei der Spanier

konnten mit Musketen umgehen, die übrigen gingen also wieder an die Holländer. An alle anderen wurden zweischneidige Piken aus der Rüstkammer der Königin ausgegeben.
Daraufhin zog Fernberger mit seiner Einheit vor den Palast, wo die Königin die Parade ihrer Truppen abnahm. Zusammen mit ihrem Anführer zählte der christliche Heerhaufen sechsundsechzig Mann. Die Königin lachte, als sie dieses Aufgebot sah. So sicher war sie, mit diesen Männern schon so gut wie gewonnen zu haben. Auf ihren Wink hin brachte eine ihrer Frauen eine Fahne: eine rote Scheibe mit einer rot-gelben Linie auf weißem Taft.
Die Königin übergab ihr Banner eigenhändig an Christoph Carl Fernberger und befahl, er möge es in ihrem Namen führen. Wie es Brauch war, ließ Fernberger daraufhin seine Soldaten auf die Flagge schwören. Er selbst trat als letzter vor und leistete ebenfalls seinen Eid ab.
Inzwischen war es Abend geworden. Am nächsten Tag würde das Heer frühmorgens aufbrechen, und Fernberger entließ seine Truppe daher in ihre Quartiere. Er selbst nahm das Banner mit nach Hause. Kurz nach ihm traf noch eine letzte Botschaft der Königin ein: Eine ihrer Frauen brachte einen geflammten Kris mit goldenem Griff. Fernberger nahm das wertvolle Geschenk an und ließ höflich seinen Dank ausrichten.
Als der Morgen dämmerte, war Fernberger längst reisefertig. Es war der 30. Jänner 1625. Das Heer sammelte sich: Sechsundsechzig Christen mit ihren Musketen und Piken und dreitausend Pattanier mit einheimischen Wurfspeeren oder Pfeil und Bogen. Den Proviant für die Europäer trugen die Pattanier mit.
Drei Tage zogen sie nach Norden, der Grenze zu. In jedem Dorf, durch das sie kamen, erreichten sie neue Meldungen über die Bewegungen des Feindes: Wo und wann die Siamesen Siedlungen überfallen und die Bewohner verschleppt hatten. Dann, am 2. Februar, meldeten Späher, das Lager der Siamesen sei nur mehr zwei Stunden entfernt. Daraufhin machte das Heer ebenfalls Halt. Der Feldmarschall der Königin berief eine Versammlung ein. Jetzt sollte der eigentliche Schlachtplan entworfen werden. Christoph Carl Fernbergers Rat wurde eingeholt. Wie sollte man die Sache angehen? Was würde er vorschlagen?
Wie immer war Fernberger um keine Antwort verlegen. Er schlug vor, den Feind direkt anzugreifen, er würde mit seinen Männern vorangehen, die Pattanier sollten folgen. Zustimmendes Gemurmel. Der Vorschlag wurde angenommen. Ein guter Plan. Beim Auseinandergehen klopfte man Fernberger auf die Schulter.
„Bacaniere hati saudora besar sama apa!“ bekam er dabei zu hören. Ein anerkennendes: „Euer Herz ist stolz und unerschrocken!“
Am späten Vormittag trafen die Heere aufeinander. Die nichtsahnenden Siamesen wurden noch in ihrem Lager überrascht. Fernberger wählte fünfzehn seiner Musketiere aus, bekam dreihundert Pattanier beigestellt und stürmte das Lager. Doch die Siamesen hatten sich schnell gefangen und erwiderten das Feuer. Angesichts des heftigen Gefechts, das sich daraufhin entwickelte, entschloß sich Fernberger zum geordneten Rückzug.
Dabei wurden einige seiner Männer von

ihm getrennt: Ein Holländer und zwanzig Pattanier blieben eingekesselt zurück. Die anderen mußten zusehen, wie sie niedergemacht und totgeschlagen wurden.
Fernberger begann sofort, einen neuen Sturmtrupp zusammenzustellen – sie würden mehr Männer brauchen. Doch der Feldmarschall der Königin plädierte dafür, sich zu ergeben. Fernberger verfluchte ihn: Wenn er abziehen wolle, dann würde er den Kampf alleine ausfechten! Und er drohte, ihn hinterher bei der Königin wegen Feigheit und Fahnenflucht zu verklagen. Das stimmte den *Limlago* nun doch um: Er versprach, Fernberger und den seinen zu folgen.
Der zweite Angriff war besser organisiert. Fernberger hatte seine Musketiere aufgestellt, sein Gegenüber die Sklaven. Auf das verabredete Signal ließ Fernberger die erste Hälfte seiner Musketiere eine Salve abfeuern und zurücktreten. Die zweite Hälfte nahm ihren Platz ein, die zweite Salve zerriß die Luft. Die Männer hatten recht ordentlich gezielt. Fernberger war zufrieden. Als daraufhin auch noch die gesamte restliche Streitmacht ins Lager der Siamesen einbrach, war dort die Kampfmoral gebrochen. Das feindliche Heer nahm Reißaus. Seite an Seite stürmten Europäer und Pattanier hinterher.
Zweihundert Siamesen ließen auf der Flucht ihr Leben. Ihr Anführer wurde in einem kühnen Handstreich gefangengenommen. Unter den gegebenen Umständen konnte dieser ohnehin nur mehr um Gnade und Frieden bitten. Im Namen seiner Königin diktierte der *Limlago* die Bedingungen des Waffenstillstands: Ein immerwährender Friede müßte das sein, die Siamesen sollten abziehen und alle nach Siam verschleppten Bewohner Pattanis wieder freilassen.
Die Gegenseite beschränkte sich darauf, sechs geeignete Männer auszuwählen, um dem siamesischen König diese Nachricht zu überbringen und schickte die Botschafter mit einer Prau los.
Unterdessen zog sich die Streitmacht der Königin ins nächste Dorf zurück. In aller Ruhe warteten die Männer dort auf die siamesische Delegation. Sechs Tage später war es soweit. Ein hoher Herr von königlichem Geblüt erschien, um im Namen seines Königs das vereinbarte Abkommen zu schließen. Zur Debatte standen nur noch die Details des Friedensvertrages.
So wurde schließlich am 13. Februar ein Friede zwischen Siam und Pattani geschlossen. Erstens: Beide Seiten verpflichteten sich, ihre Gefangenen freizulassen. Zweitens: Der König von Siam verzichtete auf ewige Zeiten auf jeglichen Anspruch auf pattanisches Hoheitsgebiet. Drittens: Für denselben Zeitraum trat auf der Stelle ein neues unbeschränktes Handelsabkommen in Kraft. Nationale Zollbestimmungen waren dabei einzuhalten. Viertens: Für den Abzug der Siamesen waren die folgenden vier Tage anberaumt. Die Beute mußte dabei zurückgelassen werden.
Beide Seiten konnten zufrieden sein. Christoph Carl Fernberger insbesondere, denn der siamesische Botschafter überreichte ihm nach dem erfolgreichen Abschluß der Gespräche ein schönes, goldbesticktes Tuch als Zeichen der Freundschaft.
Jetzt galt es nur mehr, die Königin vom Ausgang des Feldzuges zu verständigen. Fernberger übernahm auch diese Aufga-

be. Schon am nächsten Tag brach er auf und eilte zurück in die Hauptstadt. Ohne die schwerfällige Streitmacht im Rükken, war die Strecke in zwei Tagen zu bewältigen, und so erschien er bereits am 15. Februar im Palast, um Sieg und Frieden zu verkünden.

Wie nicht anders zu erwarten, war die Königin höchst erfreut über die Nachricht. Ein Freudenfest begann, Musik spielte, Frauen tanzten. Fernberger saß zu Füßen der Königin. Auch er war bester Stimmung. Da beugte sich die Königin vor und fragte, wo denn das Banner wäre, das sie ihm gegeben habe. Fernberger antwortete, er hätte es den Gebräuchen seiner Heimat entsprechend beim Heer gelassen.

Die Königin sah ihn verärgert an. Sie schwieg. Lange, sehr lange. Ihre Laune besserte sich allerdings kaum. Als sie wieder sprach, richtete sie das Wort direkt an Fernberger: Wäre er nicht so jung und aus so weit entfernten Landen, würde sie ihm einen Kris direkt ins Herz stechen lassen. Fernberger erschrak. Das war nicht unbedingt das, was er erwartete hatte – und für die überbrachte Nachricht ein harscher Botenlohn.

Noch einmal versuchte er zu erklären: Das Banner ... er hätte nur nach der gewohnten Sitte gehandelt ...

„Tiam! Tiam!“ schrie ihn die Königin an. Sie wollte kein Wort mehr hören.

Was blieb ihm übrig, als sich zu fügen? Also setzte sich Fernberger wieder und schwieg, wie ihm befohlen. Er wartete. Es dauerte eine gute Weile, bis die Königin geneigt schien, ihm zu verzeihen. Dann allerdings winkte sie ihn zu sich und überreichte ihm die Betelnuß, die sie selbst gerade gekaut hatte. Damit war die wiedergewonnene Sympathie offiziell bestätigt.

Drei Tage später zog das siegreiche Heer in die Hauptstadt ein. Fernberger führte seine Abteilung an, als sie vor dem Palast aufmarschierte. Die Königin dankte ihrer Streitmacht und entließ sie. Zum Abschluß der Zeremonie sollten die Musketiere noch drei Salven abfeuern. Die Männer erfüllten den Willen der Königin. Danach aber legten sie sofort die Waffen nieder – und sie machten auch keinen Hehl daraus, daß sie sich bei dem Krach im Grunde fast zu Tode fürchteten.

Wieder hatte die Königin etwas zu lachen. Dann aber ließ sie die christlichen Soldaten wider Willen fürstlich belohnen: Jeder bekam hundert Taler als Sold und die Holländer erhielten überdies ihr mit Proviant ausgerüstetes Schiff samt dem Freibrief, unbehelligt von dannen ziehen zu dürfen zurück. Und Fernberger? Der erbat sich das Banner der Königin als Lohn. Damit brachte er die Königin schon wieder unfreiwillig zum Lachen. Daß es ihm jetzt mehr um dieses Stück Stoff als um einen Beutel Münzen zu tun war, wurde allerdings mit reichem Geldsegen belohnt. Auf das geschenkte Banner legte die Königin noch zweihundert Taler obendrauf.

Am nächsten Nachmittag bekam Fernberger Besuch. Drei Frauen der Königin waren in seinem Haus erschienen. Zwei trugen Gongs, auf die sie jetzt schlugen, die dritte überreichte Fernberger einen *Udiudi*. Es war ein hier gebräuchlicher Schlafsack aus feinem gelben Damast. Ein weiteres Geschenk der Königin, wurde Fernberger erläutert, außerdem würde ihm am Abend noch eine Frau dazu geschickt werden. All dies, weil ihn die Königin so hoch achtete. Fernberger ließ sich zwar höflich bedanken, machte aber deutlich, daß er sich der geringsten Frau des Landes nicht wert fühle. Keine Frau also.

Als sich die drei Damen verabschiedet hatten und gerade gegangen waren, machte ihm der Feldmarschall der Königin seine Aufwartung. Da ihm Fernberger Kopf und Stellung gerettet hatte, wollte er die neue Freundschaft vertiefen. Fernberger bedankte sich und schenkte seinem Gast ein Stück Opium. Dann wies er auf den Schlafsack, der noch auf dem Tisch lag und erzählte, daß ihn die Königin gerade erst geschickt hätte. Der *Limlago* lachte. Die Königin höchstpersönlich würde ihn am Abend aufsuchen, stellte er klar, und das Opium solle er besser selbst nehmen. Immerhin galt die Königin als eine leidenschaftliche Frau, die nicht so leicht zufrieden zu stellen war. Sollte Fernberger als Liebhaber nicht bestehen, würde sie ihn vermutlich töten lassen.

Weder für den *Limlago* noch für Fernberger waren das leere Worte. Beide (und Fernberger war erst zwei Monate im Land) hatten Männer gekannt, die genau dieses Schicksal ereilt hatte. Doch Fernberger setzte eine siegessichere Miene auf und ließ sich vor seinem Gast nichts anmerken.

Als dieser aber gegangen war, verließ auch Fernberger das Haus, ging zu einem, der ein kleines Segelschiff besaß und avisierte ihn, ihn am Abend nach Siam zu fahren. Es geschähe auf Befehl der Königin. Der Mann nickte und machte sich an die Vorbereitungen für die Reise.

Fernberger ging zurück nach Hause und machte sich ebenfalls fertig. Er packte nur das Nötigste: Geld, Banner und Schlafsack. Kurz darauf fand er sich wieder beim Schiffseigner ein, und die Fahrt begann. Sie fuhren die ganze Nacht, doch als der Morgen graute, zog ein schreckliches Gewitter auf. Sturm, Blitz und Donner beutelten das Boot und seine Insassen gehörig. Sie würden wohl untergehen und ertrinken ...

Doch der heftige Gegenwind trieb das Boot statt dessen wieder den ganzen Weg zurück an die Küste von Pattani. Fernbergers Begleiter glaubten sich schon gerettet und hielten auf das rettende Ufer zu, da zog Fernberger seinen Kris und setzte ihn dem Steuermann auf die Brust: Auf Siam solle er zuhalten, auch wenn sie dabei untergehen würden! Er hatte beschlossen, lieber hier zu ertrinken, als nach einer Liebesnacht mit der Königin auf ihren Befehl hin schändlich zu sterben.

Fernberger übernahm das Ruder jetzt selbst. Auch das Segel bediente er eigenhändig. Außerdem hatten die anderen vier ohnehin genug damit zu tun, das überkommende Wasser auszuschöpfen. Stunde um Stunde verging. Am Nachmittag hatte Gott ein Einsehen mit dem kleinen Gefährt, seine Gnade bändigte Wind und Wellen. Am folgenden Tag erreichte Fernberger tatsächlich sein Ziel und landete wohlbehalten in Siam.

Tags darauf traf ein weiteres Schiff aus Pattani ein. Die Besatzung kam auf Befehl der Königin. Sie suchten Fernberger. Warum er stillschweigend und heimlich das Land verlassen habe? Er möge zurückkommen, die Königin wollte ihn mehr denn je für seine Dienste belohnen. Und so er in Pattani bleiben wolle, würde sie ihn zu einem großen Mann machen.

Danach aber stand ihm keinesfalls der Sinn. Fernberger ließ der Königin wahrheitsgemäß bestellen, der Schlafsack, den sie ihm geschickt habe, hätte ihn so erschreckt, daß er keines Abschieds fähig gewesen wäre. Sie möge ihm nicht zürnen und für den Fall, daß sie ihm vergäbe und seine treuen Dienste immer noch anerkennen würde, so bitte er einzig darum, daß ihm sein Hab und Gut nachgeschickt würde.

Er selbst aber blieb, wo er war. Vier Tage vergingen, dann kam wieder ein Schiff aus Pattani an. Die Prau hatte tatsächlich Fernbergers gesamte Habe und seine Waren geladen. Zusätzlich wurde Fernberger ein Umschlag übergeben. Die Nachricht bestand aus einem großen Blatt, auf dem die Königin ihm das Recht auf zollfreien Handel in ihrem Königreich zusicherte. Lebenslang.

Vom Steuermann der Prau konnte Fernberger aber auch erfahren, was sich seit seiner überstürzten Flucht in Pattani abgespielt hatte. Die beiden Holländer, die zu krank gewesen waren, um gemeinsam mit ihren Kameraden aufzubrechen, hatten sich unter dem Vorwand, Fernberger suchen und zur Rückkehr überreden zu wollen, schleunigst verabschiedet. Und die drei Frauen, die ihm den Schlafsack überbracht hatten, waren hingerichtet worden – die Königin hatte sie im Verdacht gehabt, das Geheimnis ausgeplaudert zu haben. Einen guten Rat erhielt Fernberger obendrein: Auch in Siam würde er, da er sich gerade noch am Krieg gegen dieses Land beteiligt hatte, nicht mehr allzulange sicher sein.

10. Kapitel

Im Bett des größten Herrschers der Welt

Die einzige Möglichkeit, das siamesische Hoheitsgebiet zu verlassen, fand sich in Form einer chinesischen Dschunke, die mit einer Ladung Reis und Sago nach Palembang im Süden Sumatras auslaufen wollte. Fernberger griff zu und ging vier Tage später, am 28. Februar 1625, an Bord. Etwa einen Monat später erreichte Christoph Carl Fernberger den angestrebten Hafen. Nun hatte er wieder sicheren Boden unter den Füßen. Pattani und Siam lagen inzwischen weit hinter ihm.

Im reichen Handelsumschlagplatz Palembang fand er schneller Anschluß als gedacht: Zwei holländische Freileute aus Jakarta hatten dort eine Dschunke liegen, die schon ihre Ladung übernahm und in den nächsten Tagen nach Japan segeln sollte. Die drei Männer kannten einander flüchtig aus Jakarta. Die beiden anderen wunderten sich gehörig, daß Fernberger noch lebte, denn in Jakarta war er, nachdem er sich ein halbes Jahr zuvor von den Holländern abgesetzt hatte, schon seit längerer Zeit totgesagt. Was hingegen die Reise betraf, wurde man schnell handelseins. Bereits vierzehn Tage nach dem Auslaufen erreichte die Dschunke die japanische Insel Hiradoshima. Anker geworfen wurde auf der Reede der Stadt Firando. Es war ein Hafen, der allen Handelsschiffen offen stand, dementsprechend international war er auch besucht. Zwei holländische Großsegler lagen dort, ein englischer und drei portugiesische. So friedlich der Anblick auch sein mochte,

er täuschte nicht darüber hinweg, daß sich dieselben Schiffe draußen am Meer wieder erbittert bekriegen und, sollte eines des anderen Herr werden, das unterlegene Schiff zur Prise und seine Männer zu Gefangenen werden würden.
Von Japan hatte Christoph Carl Fernberger bislang nur gehört, daß es eine Insel war. Die größte in ganz Asien, so wie England in Europa, hieß es. Firando beeindruckte ihn ebenfalls. Die Stadt war sehr groß und bestand aus so vielen schönen und repräsentativen Bauten, wie er sie in ganz Asien noch nicht gesehen hatte. Mitten in der Stadt lag der Gouverneurspalast. Der Statthalter des Kaisers von Japan war selbst von königlichem Geblüt, und ging er aus in die Stadt, sah man ihn stets in Begleitung von mindestens dreißig Männern.
Die Japaner selbst ähnelten den Chinesen in Wirklichkeit kaum. Obwohl ebenfalls bartlos, erschienen sie ihm eindeutig männlicher und kriegerischer (auf der Straße sah man keinen, der nicht mindestens vier Schwerter, Säbel oder Dolche in seinem Gürtel stecken hatte) und fast so weiß wie die Europäer, nur nicht so groß. Ihr Haar trugen sie oben geschoren und hinten zu einem Schopf aufgebunden (wie man es zuhause bei den Kutschpferden machte). Bei der Kleidung fielen die Unterschiede hingegen kaum ins Auge. Weder konnte Fernberger japanische von chinesischen Röcken unterscheiden, noch Männer- von Frauenmode.
Obwohl ihre Schrift die gleichen Zeichen wie die chinesische verwendete, waren ihre Sprachen doch verschieden. Gleich hingegen schien die Vorliebe für den warmen Tee, allerdings schmeckte das Getränk hier besser. Eßstäbchen und lackiertes Geschirr waren ebenfalls bereits aus China vertraut, nur fertigte man sie hier schöner. Christoph Carl Fernberger hatte sich während des Aufenthalts an Land bei einem Japaner eingemietet, der solches Lackwerk herstellte.
Obwohl das Christentum in Japan inzwischen weit verbreitet war, hatte es doch die Menschen nicht zu seinesgleichen gemacht. Fernberger staunte nicht wenig, als er, nachdem die Ehefrau seines Gastgebers in der Nacht niedergekommen war, sich am Morgen erkundigend, ob sie denn einen Sohn oder eine Tochter bekommen hätte, vom frischgebackenen Vater zur Antwort bekam, es wäre ein Sohn gewesen – aber da sie schon zwei Kinder hatten, hätte er den Säugling getötet. Fernberger ging mit ihm in die Werkstatt, wo noch Blut an der Wand klebte. Der Mann hatte sein Kind dagegen geschleudert und anschließend ins Wasser geworfen.
Fernberger zog wieder aus und übersiedelte zurück aufs Schiff. Doch die schokkierende Sitte war hier offenbar alltäglich: Es verging kein Morgen, an dem Fernberger nicht fünf oder sechs Kindsleichen im Wasser vorbeitreiben sah.
Ebenso erbarmungslos waren die Männer aber auch gegen sich selbst: Wurde über einen die Todesstrafe verhängt, ging er nach Hause, lud seine Freunde ein und tafelte fröhlich mit ihnen. Gegen Ende des Festmahls verließ er das Zimmer und schlitzte sich mit dem kleinen Dolch, der immer vorn in seinem Gürtel steckte, den Bauch auf. Falls er dabei schrie kamen seine Freunde dazu, und der, der ihm am nächsten stand, vollendete das Harakiri. Unter großem Geschrei trug man die Leiche

dann vor den Richter, um anzuzeigen, daß das Urteil vollstreckt und der Mann ehrlich gestorben war.
Christoph Carl Fernberger verzichtete auf die Niederschrift weiterer Geschichten. Kein Mensch würde ihm zuhause jemals glauben, was er hier täglich sah und hörte. Außerdem trug er sich schon wieder mit Reiseplänen. Gemeinsam mit dem englischen und dem holländischen Gesandten machte er sich bereit, an den Hof des japanischen Kaisers zu reiten. Bis zur Residenz waren es von Firando etwa zweihundert Meilen.
Leider zerschlugen sich Fernbergers Absichten im letzten Augenblick. Schuld daran war kein anderer als er selbst. Denn die Lügengeschichten, die die Holländer und Engländer dem japanischen Kaiser über die Spanier und Portugiesen zu erzählen gedachten, um daraus für sich selbst Kapital zu schlagen, erregten sein Mißfallen. Irgendwann konnte er, der bei allen Beratungen der Gesandten anwesend war, seine Zunge nicht mehr im Zaum halten: „Es ist nicht recht, daß Christen bei den Heiden andere Christen anschwärzen!"
Nach dem ersten Erstaunen in der Runde bekam er prompt die Rechnung dafür: Sie wollten ihn nicht mehr bei sich haben.
„Du bist ein rechter Spanier!" schimpften sie.
So blieb Fernberger nichts anderes übrig, als umzudisponieren. Wieder machte er sich auf die Suche nach einer Mitreisegelegenheit. Gut, daß wenigstens der Hafen hier frei war. Die Gesandtschaft war längst abgeritten, als Fernberger fündig geworden war. Er hatte sich zwei Portugiesen angeschlossen, die auf einer Fregatte nach Aceh, dem wilden, islamischen Königreich im Norden der Insel Sumatra, wollten.
Vierzehn Tage hatte Fernbergers Aufenthalt im Reich des japanischen Kaisers gedauert. Nun beendete er diese Episode ohne Bedauern und ging am 14. April mit seinen neuen Gefährten an Bord. Steter Monsun machte die Überfahrt zu einem Vergnügen. Schon nach zwei Wochen auf See erreichte das Schiff am 2. Mai wohlbehalten den angepeilten Hafen.
In Aceh galten eigene Gesetze. Und jeder, der hierher kam, tat gut daran, sie einzuhalten. Zunächst mußten die Männer die Erlaubnis des Königs einholen, an Land zu gehen. Also wartete man. Es kam der 3. Mai. Wieder warten. Der 4. Mai. Immer noch nichts. Am 5. Mai machte an Bord die Geschichte eines englischen Kaufmanns die Runde, der kurz vor ihrer Ankunft ohne Genehmigung in die Stadt übergesetzt hatte: Der König hatte ihn vor die Elephanten werfen und zu Tode trampeln lassen. Auch am 6. Mai mußte man sich weiter in Geduld üben. Der 7. Mai. Die ersehnte Erlaubnis war da!
Der erste Weg führte Christoph Carl Fernberger und seine Gefährten zum König. Der empfing sie im Freien unter einem üppigen Baldachin. Begrüßungen wurden ausgetauscht, der Mann, der als überaus tyrannisch und grausam bekannt war, unterhielt sich höflich und angeregt mit seinen Besuchern. Dann machten diese Platz für die Herren seines Rates. Während der Versammlung begann es zu regnen. Da rückte einer der Männer ein Stückchen weiter unter den Baldachin, um nicht naß zu werden. Doch der König hatte

die Bewegung gesehen und ließ den Mann sofort abführen. Als er wieder vor seinen Herrn geschleppt wurde, war er seiner Männlichkeit verlustig gegangen. „Ein anderes Mal wirst du wohl stillsitzen und nicht größer sein wollen als der König selbst!" So übersetzte Fernberger die nachgereichte Erklärung des Königs für die drakonische Strafe. Ob der Mann schließlich daran gestorben war, erfuhr man nicht mehr.
Zwei Tage später sah Fernberger den König ausreiten. Dieser saß dabei auf einem weißen Elephanten, den es in ganz Indien kein zweites Mal gab, und über tausend Menschen folgten ihm ehrerbietig. Alle wurden neuerlich Zeugen seiner Grausamkeit, als ein Kleinkind mit blankem Po dreimal in eine glühende Eisenpfanne gesetzt wurde, nachdem es sich in Anwesenheit des Königs besudelt hatte.
Doch Fernberger bekam noch mehr zu sehen: Die zweimal jährlich stattfindende Musterung der Beamten des Königs stand dieser Tage an. Alle mußten auf einer langen erhöhten Galerie Platz nehmen, unten stand das gemeine Volk. Und während der König mit einem Stock in der Hand oben die Reihe seiner Männer abschritt, mochte unten jeder durch Zuruf einen etwaigen Amtsmißbrauch anzeigen. Der Beschuldigte wurde daraufhin vom König eigenhändig über die Galerie gestoßen, sodaß er unten tot liegen blieb. Dasselbe geschah, wenn der König sich mit einem seiner Männer überwarf. Keiner der anderen durfte dabei auch nur mit der Wimper zucken oder sich gar nach dem Kameraden umsehen – sofort ereilte ihn dasselbe Schicksal. An dem Tag sah Fernberger zwei Männer auf diese Weise sterben.
Obwohl in Aceh guter Pfeffer gehandelt wurde und gebatikte Stoffe, wie es sie nirgends schöner gab, war Fernberger hier nicht unbedingt wohl zumute. Er hatte bald beschlossen, sich ehest möglich wieder zu verabschieden und suchte noch während er seine Geschäfte tätigte, nach einer passenden Gelegenheit. Kurz darauf hatte er an die vierhundert Stück gebatiktes Tuch gekauft und war mit einem armenischen Kaufmann übereingekommen, ihn zu den Banda-Inseln mitzunehmen. Ohne irgend jemandem auch nur ein Sterbenswort zu sagen, verließ Christoph Carl Fernberger heimlich Aceh.
Wieder ging die Fahrt zurück durch die Malakkastraße, vorbei an fremden Inseln und rauchenden Vulkanbergen, dann kam Amboina in Sicht. Die Insel produzierte Nelken für den internationalen Gewürzhandel, der hier fest in der Hand der Holländer war. Vor drei Jahren hatten sie ihre englischen Rivalen vertrieben: durch Verrat in eine Falle gelockt, im anschließenden Schauprozeß zum Tode verurteilt und noch am selben Tag geköpft. Fernberger wußte inzwischen, daß die Holländer nicht zimperlich waren.
Außerdem waren sie nicht unbedingt kooperativ. Acht Tage lang versuchten Fernberger und sein armenischer Kompagnon, hier Nelken zu erhandeln. Vergeblich. Also beschlossen die beiden Männer, ihr Glück anderswo zu versuchen. Am 28. Mai lichteten sie wieder Anker und segelten an den anderen Inseln des Archipels vorbei hinaus auf die offene See, Kurs Südost. Auf Ceram wohnten Menschenfresser, dort ging man besser nicht an Land, ebenso hielt man sich von einem der kleineren,

unbewohnten Eilande fern, das in Sichtweite der Insel Banda lag. Dort hauste der Teufel. Die Bandanesen sagten, daß, wenn einen der Wind dorthin verschlug, man nicht so bald wieder davon loskam.

Christoph Carl Fernberger allerdings kam wie geplant am Abend des 30. Mai auf der Reede von Banda an. Auch auf Banda unterhielten inzwischen die Holländer die einzige Faktorei für den Handel mit Muskatnüssen und Muskatblüten. Hier hatten sie vor sechs Jahren die Portugiesen mit Hilfe der Einheimischen verjagt. Dann allerdings unterdrückten sie die Bevölkerung derart, daß diese gegen die neuen Herren den Aufstand probte. Am Ende waren die Bandanesen niedergemacht oder in die Sklaverei verkauft, und die Holländer hatten sich auf den Märkten des Mogulreiches mit willigeren Arbeitskräften aus Indien versorgt.

Abgewickelt wurde der Handel nach wie vor über die beiden ehemals portugiesischen Faktoreien auf Banda und der kleinen Nachbarinsel Naira. Auf Naira hatten sich Freileute ein kleines Städtchen errichtet, doch auch sie durften inzwischen nur noch mit den Holländern Geschäfte machen. Schiffen aus Java, Malakka und China blieb der Handel verschlossen.

Hier in Naira konnte Fernberger jetzt zumindest sein Kontingent Tuche bei den Freileuten losschlagen. Aber außer den riesigen Bäumen, auf denen die Muskatnüsse wuchsen, hatten die Inseln wenig zu bieten. Außer eines: Paradiesvögel. Fernberger war hingerissen. Er erstand gleich zwei der kleinen bunten Vögel mit der Absicht, sie nach Hause zu bringen. Daher verabschiedete er sich von seinem armenischen Begleiter und bestieg am 5. Juni ein holländisches Schiff nach Jakarta.

Die Überfahrt verlief ruhig. Nur einmal entdeckte der Ausguck eine Untiefe, die die Karten nicht verzeichnet hatten und die andernfalls sicherlich ihr Verderben gewesen wäre. Doch der aufmerksame Mann im Mast hatte das Schiff gerettet, und sein Navigator führte es anschließend sicher bis zur Insel Madura, gleich östlich von Java.

Von dort war es nur mehr ein Katzensprung ins javanische Königreich Mataram. Außer Bantam und Jakarta unterstand praktisch ganz Java dem hiesigen König. Fernbergers Schiff hatte inzwischen dessen Hauptstadt und Hafen Tuban an der Nordküste angelaufen. Auf die entsprechende Anfrage erteilte der König den Holländern die Erlaubnis, an Land zu kommen und Handel zu treiben.

Fernberger nutzte die Gelegenheit. Er nahm zweihundert *Reales* mit, als er sich am 1. Juli übersetzen ließ und anschließend, von einigen Javanern begleitet, die Stadt inspizierte. Die kleinen, landestypischen Häuser schützte eine Steinmauer mit drei Holztoren. Im Umland wuchsen Pfeffer und Reis. Sie waren die wichtigsten Exportgüter des Reiches, die in Bali gegen Leinwand getauscht wurden, auf den Bandainseln gegen Muskat und auf den Molukken gegen Nelken. Auch chinesische Händler fanden einmal im Jahr den Weg zu diesem Handelsplatz und hinterließen ihrerseits Waren aus der Heimat.

Reich waren trotzdem nur wenige. Das gemeine Volk ernährte und kleidete sich elend. Wer etwas besaß, war hier leicht zu erkennen: Behütet mit einem schnee-

weißen Käppchen und umringt von einer Schar von Leibeigenen, die alles mitführten, wonach ihrem Herrn der Sinn stehen konnte: eine Decke, falls er sich setzen wollte, ein Kästchen mit Betelnüssen, falls er Lust darauf bekäme, einen Krug Wasser, falls er Durst verspürte, und Feuer, so er zu rauchen wünschte.
Die kleinen arabischen Vollblutpferde, die Fernberger sah, waren alle teuer importiert und daher der größte Luxus ihres Besitzers. Über ihre Haltung mußte man sich allerdings wundern. Sie waren den ganzen Tag über aufgezäumt und trugen ihre seltsamen Sättel, die mit geschnitzten Teufelsfratzen verziert und mit Perlmutt eingelegt waren. Zu Fressen bekamen sie mit Zucker bestrichenes Heu mehr oder weniger gewaltsam ins Maul geschoben. Und geritten wurden sie nur zum Vergnügen oder im Krieg.
Da die Armee des Königs berühmt war, erkundigte sich Fernberger bei einem seiner Führer nach Einzelheiten. Bemerkenswert an der hiesigen Kriegskunst war, daß trotz der in Europa unvorstellbaren Truppenstärken von vielen Tausend sich den eigentlichen Kampf jeweils nur eine kleine Schar von dreißig oder vierzig Mann lieferte. Hatten diese verloren, ergriffen sie die Flucht und mit ihr die ganze restliche Armee.
Gegen Abend flanierte in Tuban alles was Rang und Namen hatte auf den Straßen und führte dabei geschmückte Frauen und Pferde aus. Fernberger gefiel, was er sah. Er hatte die Gelegenheit genutzt und sich nach vier Wochen auf See für die Dauer des Aufenthalts wieder an Land eingemietet.
In den nächsten Tagen suchte er die Nähe des Königs. Eine Chance zu einer Unterredung ergab sich, als dieser auf einem Elephanten spazierenritt. Fernberger setzte sich mit zwei Büchsen Tee in der Hand vor sein Haus und wartete. Als der König vorüberkam, ließ dieser wunschgemäß anfragen, was Fernberger wollte.
„Ich bin ein Fremdling“, gab Fernberger zur Antwort, „und habe vernommen, daß der König gerne Tee trinkt. Nun bin ich neulich in Japan gewesen und habe diesen Tee mitgebracht. Den wollte ich ihm verehren!“
Der König nahm die Gabe an und befahl Fernberger, am nächsten Tag bei Hof vorzusprechen.
Da Fernberger aber nicht erschien, ließ er ihn rufen. Der König hatte nur eine Frage, die er ihm stellen ließ: Was er für die zwei Büchsen Tee begehrte?
„Nichts“, war die Antwort. Doch als Fremdling bat er um die Gelegenheit, etwas vom Land zu sehen. Daraufhin winkte der König einen seiner Edelleute zu sich und beauftragte ihn damit, den neugierigen Besucher herumzuführen.
Als erstes durfte Fernberger nun die königlichen Ställe des Königs besichtigen: Zuerst den für Pferde, dann den für Elephanten. Als nächstes führte ihn sein Begleiter zum königlichen Palast. Die Tour begann im Audienzsaal, dann ging es weiter zur Rüstkammer, wo die Gewehre des Königs in Truhen verwahrt lagen. Anschließend folgte ein Saal, der wohl hundert Kisten enthielt, in jeder davon saß ein Kampfhahn. Der König liebte diese Form von Vergnügen. Im nächsten Raum wurden seine Hunde gehalten. Häßliche Bestien. Danach kam ein Zimmer mit wohl hundert Pa-

pageien. Als die beiden Männer eintraten, begannen diese derart zu schreien, daß man sein eigenes Wort nicht mehr hören konnte.

Die Führung wurde in einem anderen Trakt des Palastes fortgesetzt. Zunächst ließ ihn sein Begleiter ein Auge auf die Frauen des Königs werfen. Der Harem zählte an die vierhundert. Dann folgte das Schlafgemach des Königs. Das Bett, das man ihm zeigte, sah aus wie ein steinerner Tisch, mit Laub bedeckt. Sein Führer nötigte ihn, es auszuprobieren, und als Fernberger tat, wie ihm geheißen, meinte er: „Jetzt könnt' Ihr sagen, Ihr seid im Bett des größten Herrschers der Welt gelegen!"

Fernberger erhob sich wieder. „Nein" zu sagen, wäre nicht in Frage gekommen. Obwohl dieses Bett nach seinen Begriffen das eines Bettlers war, spielte Fernberger überzeugend, wie hochgeehrt er sich fühlte. Das Schlafzimmer des Königs war offensichtlich Höhepunkt und gleichzeitig Abschluß der Führung gewesen, denn nun ging es wieder zurück zum Gartenpavillon und dem König.

Ob es ihm gefallen hätte, wurde Fernberger gefragt. Ob es denn einen größeren Herrscher auf der Welt gäbe?

„Ja!" und „Nein!" mußten die richtigen Antworten lauten. Fernberger bestand mit Bravour.

Als nächstes kam ein Elephant, der vor dem König in die Knie ging und ihm seinen Rüssel in den Schoß legte. Als Belohnung bekam das Tier einen Korb voller Früchte. Für Christoph Carl Fernberger, der nun ebenfalls verabschiedet wurde, äußerte sich das königliche Wohlwollen hingegen in Form eines Zollerlasses.

Was der König nicht wissen konnte: Fernberger brachte nicht nur seine eigenen Handelswaren zollfrei aufs Schiff, sondern unter seinem Namen auch den Reis, den eigentlich seine Kameraden erstanden hatten.

Nach knapp zwei Wochen war der Besuch beim „größten Herrscher der Welt" zu Ende. Die Holländer setzten Segel und nahmen Kurs auf Jakarta. Dank des guten Windes trafen sie bald darauf in ihrem Zuhause fern der Heimat ein.

Es war der 13. Juli, als Fernberger sein Haus nach einem Jahr Abwesenheit wieder betrat, seine Waren an Land schaffte und dem General einen Besuch abstattete. Der ließ sich einen genauen Bericht geben, staunte und wunderte sich über die Abenteuer, die Fernberger erlebt hatte. Zum Schluß bot er Fernberger, schneidiger Soldat und geschickter Diplomat, der er war, eine Stelle an: Es sollte sein Schaden nicht sein, die Besoldung wäre gut, die V.O.C. könnte Männer wie ihn gebrauchen.

Fernberger überlegte keine Sekunde: „Lieber wollt' ich Armut leiden und etwas sehen von der Welt, als hier still sitzen und gute Tage haben."

11. Kapitel

Wie sich ein Verkauf in die Sklaverei zuträgt

Fünfzig Wochen war Christoph Carl Fernberger unterwegs gewesen, fast ein ganzes Jahr war seit seiner Abreise zu den Pescadores-Inseln vergangen. Gleich am ersten Tag nach seiner Rückkehr bekam sein Hausstand unerwarteten Zuwachs: zwei Tigerjunge. Der General schickte die Tiere (Geschenk eines benachbarten javanischen Herrschers) mit den besten Grüßen und der Bitte, sie aufzuziehen.

Mit Begeisterung widmete sich Fernberger seiner neuen Aufgabe. Noch waren die beiden kaum größer als Jagdhunde, doch sie wuchsen schnell. Und obwohl Fernberger alles versuchte, ließen sie sich nicht zähmen. Auch wenn er sie noch so oft halbtot schlug …

Eines Tages nahm er die beiden mit zum Wasser und ließ sie schwimmen. Der Ausflug endete in einem Fiasko. Denn als Fernberger genug hatte, reichte es den Tigern noch lange nicht. Anstatt sich von ihm wieder herausziehen zu lassen, sprangen sie ihn an und bissen zu. Fernberger bilanzierte: zwei Löcher im Hintern – und vermutlich hätten sie ihn umgebracht, wenn ihm nicht einer seiner Sklaven zu Hilfe gekommen wäre. Einer der Tiger verendete bald danach, der andere aber gedieh prächtig und wuchs sich in den nächsten Jahren zu einem kraftstrotzenden Tier aus.

Inzwischen waren fünf Wochen vergangen. Christoph Carl Fernberger hatte die Zeit nicht nur zur Tigeraufzucht genutzt. In seinem Haus stapelten sich

Handelswaren im Wert von zweitausend *Reales*, mit denen er sich just an dem Tag einschiffte, als ihn Grüße eines anderen hier gestrandeten Österreichers erreichten. Jener saß an diesem 18. August auf der Bandainsel Amboina, dieser bestieg in Jakarta nun ein Schiff nach Indien.

Mitte September erreichte das Schiff mit Christoph Carl Fernberger an Bord die Stadt Surat. Am Ankerplatz traf es auf einen weiteren holländischen Segler und zwei englische Schiffe. Im Hafen des nordwestindischen Fürstentums Gujarat fielen sofort die vielen Muslime auf (mit breitem Turban und Schnurrbart) und die Banias, die lokale Kaufmannskaste. Die Hindus hier glaubten, ihre Seele würde sich nach ihrem Tod in eine Kuh verwandeln – oder in ein anderes Tier –, auf jeden Fall hielten sie es darum für das beste, nichts Lebendiges zu essen.

Und sie töteten auch nichts. Zeigte man ihnen einen Wurm und erklärte, ihn zertreten zu wollen, baten sie für ihn, ja sie gaben sogar Geld, nur damit er am Leben blieb. Für kranke Tiere unterhielt man hier Spitäler, für den Nächsten aber zeigte man kein Mitgefühl.

Den tabaksüchtigen Europäern wollten sie nicht einmal Feuer geben. Ging es nämlich in ihrer Hand aus, meinten sie, einen Totschlag begangen zu haben. Fernberger wurde deshalb mit der Zeit immer ärgerlicher. Auch am Markt versuchten er und die holländischen Kaufleute ihr Glück vergebens. Bald war klar, daß sie ihre Waren hier nicht absetzen konnten.

So blieb Fernberger nur, die alte Stadt zu besichtigen und den Alltag ihrer Bewohner zu beobachten. Er sah dabei die wohl schönsten Pferde der Welt, die in großer Zahl aus dem angrenzenden Persien importiert und (wie auf Java) nur zum Reiten verwendet wurden. Statt dessen spannte man hier Ochsen vor Karren und Wagen, auch für Überlandfahrten. Dabei liefen die Tiere, genauso wie zuhause die Postpferde, Galopp.

Nachdem er auch noch zwei Witwenverbrennungen mitangesehen hatte, war ihm der Ablauf des grausamen Schauspiels bestens vertraut: Zuerst legte man den Leichnam des Verstorbenen in eine mit Holz gefüllte Grube, dann erschien die herausgeputzte Witwe, umringt von Familie und Freunden, und tauschte unter Trommelmusik ihre Gewänder gegen ein mit Pech getränktes Tuch. Die hiesigen „Pfaffen" begannen zu schreien, das Feuer wurde entzündet, die Witwe sprang hinein. Sofort steigerte sich das Geschrei ins Unerträgliche, und durch nachgeworfenes Holz und zugegossenes Öl loderten die Flammen in den Himmel. Nachdem alles ausgebrannt war, scharrte man gemeinsam die Grube zu und ging fröhlich nach Hause.

Als er das dritte Mal Zeuge einer solchen Veranstaltung werden sollte, versuchte Fernberger, der Witwe die Sache auszureden. Und tatsächlich: Die Frau machte einen Rückzieher. Allerdings mußte sie für Fernbergers Erfolg bitter büßen. Man schor ihr das Haar, jagte sie aus der Stadt, und keiner ihrer Angehörigen sprach auch nur mehr ein Wort mit ihr. Fernberger fühlte sich verantwortlich. Auf seine Weise nahm er sich der Frau an: Er brachte sie zu einem holländischen Kaufmann, der auf dem Rückweg nach Jakarta war, und übergab sie mit

dem Auftrag, sie zu den anderen Sklaven in sein Haus zu bringen.
Nach vier Tagen hatten die Männer genug von Surat und seinen Bewohnern und beschlossen, nach Hormuz am Eingang des Persischen Golfes weiterzufahren. Fernberger hatte sich mit seinen holländischen Gefährten überworfen und hielt es daher für das beste, zwar seine Waren im Laderaum zu belassen, selbst aber bei einem der Engländer an Bord zu gehen, der ebenfalls nach Hormuz wollte.
Kaum waren die beiden Schiffe ausgelaufen und hatten das offene Meer erreicht, erhob sich ein Sturm. Binnen kürzester Zeit verloren sich die beiden Segler aus den Augen. Christoph Carl Fernberger sollte seine Kameraden nie wieder sehen. Das englische Schiff hielt sich tapfer, doch jedesmal, wenn es in ein Wellental geworfen wurde, krachte das Holz. Irgendwann drang Wasser ein. Die Plankenstöße waren aufgegangen. Blitzschnell lief der Rumpf voll.
Kaum hatte jeder an Bord seine Seele Gott anbefohlen, ging das Schiff einfach unter. In dem Strudel bekam Fernberger, der hilflos im Wasser schwamm, ein Stück einer Holzbohle zu fassen und klammerte sich fest. So gut es ging, schob er sich auf die Planke – sie war stark genug, sein Gewicht zu tragen. Als er sich schließlich umsah, war er allein. Den ganzen Tag trieb er so zwischen Himmel und Meeresgrund. Der Sturm büßte nichts an Stärke ein, und die hohen Wellen ließen ihn wie einen Korken auf den Kämmen tanzen. Dann brach die Dunkelheit herein.
Am nächsten Morgen lag Fernberger immer noch auf seinem Stück Holz. Langsam flaute der Sturm ab, die Wolken verzogen sich, das Meer kam wieder zur Ruhe. Doch für den einzigen Überlebenden des Schiffbruchs hatte sich die Perspektive dadurch kaum verbessert: Weder sah er einen Ausweg noch Hilfe, noch hatte er Grund, Hoffnung zu schöpfen. Bis zum Horizont war nichts als Wasser.
Fernberger traf eine Entscheidung. Er betete, befahl seine Seele Gott an und ließ sich von der Planke gleiten. Als er unterging und Wasser schluckte, meldeten sich seine Lebensgeister zurück. Einige kräftige Schläge – er bekam die Holzplanke wieder zu fassen und war gerettet. Das Geschehene wiederholte sich im Lauf dieses Tages. Nicht einmal, sondern viele Male. Jedesmal siegte das Leben. Ein ganzes Buch würde man darüber schreiben können, welche Gedanken einem dabei durch den Kopf gingen, sinnierte Fernberger später. Vermutlich würde vieles unglaubwürdig erscheinen ... „Doch bei Gott war alles möglich ...", schloß er seine Schilderung.
Gegen Abend sah Fernberger ein Segel. Ein kleines Boot! Starr vor Freude konnte er sich zunächst gar nicht bewegen, weder Arme noch Beine rühren. Doch man hatte ihn schon von weitem gesehen: Das Boot hielt direkt auf ihn zu. Man rief ihm zu. Fernberger verstand kein Wort. Als das Boot herangekommen war, streckte sich ihm eine Hand entgegen, er griff zu und wurde über die Bordwand gezogen.
Fernberger sah seine Retter an. Es waren persische Fischer. Keiner konnte ihn verstehen. Nach einer Weile deutete er mit der Hand auf seinen Mund. Er hatte furchtbaren Hunger. Es dauerte eine Weile, bis die Männer die Geste richtig deuteten, dann aber gaben sie ihm ein

bißchen Reis zu essen und lachten, weil er so gierig schlang.
In der Ferne war inzwischen ein Küstenstreifen zu sehen, auf den die Fischer zuhielten. Das Boot erreichte das Ufer bei einem Dorf, das vielleicht hundert Häuser zählte. In eines davon wurde Fernberger nun mitgenommen. Er bekam ein Nachtlager zugewiesen und schlief völlig erschöpft ein.
Am nächsten Tag erschien ein Mann, den Fernberger wegen seiner Kleidung als Armenier erkannte. Endlich jemand, mit dem er sprechen konnte! Er erzählte seine Geschichte und wie es ihm in diesen beiden Tagen auf dem Meer ergangen war. Daraufhin verhandelte der Mann mit den Fischern. Für zwanzig Taler ließen sie sich ihren Fang schließlich abkaufen. Fernberger wurde nicht lange über seine Zukunft im Unklaren gelassen. Mit wenigen Worten setzte ihn der Armenier über sein neues Leben ins Bild: Er hatte einen Kamelknecht erworben. Fernberger würde treu und redlich für seine drei Tiere sorgen müssen. Dieser sagte zu, ihm ein tüchtiger Diener sein wollen.
Drei Tage später brachen die beiden Männer auf. Sie machten sich mit ihren vollbepackten Kamelen auf den Weg zur Karawanenstraße, die von Bandar Abbas, dem landseitigen Hafen gegenüber der Insel Hormuz, hinauf in den Norden Persiens führte. Inzwischen hatte Fernberger nicht nur für drei, sondern für fünf Kamele zu sorgen – der armenische Kaufmann hatte die Gunst der Stunde genutzt und schöpfte sein durch die Investition erhöhtes Potential voll aus. Vier der Kamele trugen die Handelswaren, das fünfte Fernbergers neuen Herrn und ihren Proviant.
Nach drei Monaten fand das harte Karawanenleben ein Ende. Christoph Carl Fernberger war im Schlepptau der Kamele in der persischen Hauptstadt Isfahan angekommen. Zwischen den blühenden Gärten, den neuen Prunkbauten des regierenden Schahs Abbas I., den Dutzenden Karawansereien und Warenlagern und den Abertausenden von Karawanenkamelen sah Fernberger plötzlich ein bekanntes Gesicht. Es gehörte einem der holländischen Freileute aus Jakarta. Fernberger nutzte die Gelegenheit und feilschte um sein Leben.
Almosen hatte der Kaufmann keine zu vergeben. er machte Geschäfte. Schließlich einigte man sich, und dreißig Taler in bar wechselten gegen einen Schuldschein über einhundert (einzulösen in Jakarta) die Seiten.
Mit dem Geld kehrte Fernberger zu seinem Herrn zurück und wollte sich loskaufen. Doch der Armenier war von der Idee, seinen anstelligen Sklaven zu verlieren, keineswegs angetan. Rundweg weigerte er sich, auf den Handel einzugehen. Auch der Reingewinn von zehn Talern konnte ihn nicht umstimmen. Da mit guten Worten nichts zu erreichen war, schuf Fernberger vollendete Tatsachen: Zuguterletzt warf er dem Mann sein Geld vor die Füße und ging. Draußen hatte der holländische Kaufmann gewartet, nun nahm er Fernberger mit in seine Unterkunft. Das Schicksal hatte die beiden zusammengeführt, und für die nächsten Wochen und Monate bildeten sie ein harmonisches Duo. Fernberger brachte seine kaufmännischen Talente in die gemeinsamen Unternehmungen ein, die sie zunächst zurück nach Hormuz in den Persischen Golf und von dort weiter zum Eingang des Roten

Meeres an der Spitze der Arabischen Halbinsel führten. Sie setzten nach Indien über, besuchten Goa, die glänzende Verwaltungsmetropole der Portugiesen, und kehrten schließlich nach Jakarta zurück. Zuhause löste Christoph Carl Fernberger seinen Schuldschein eigenhändig ein und war wieder ein freier Mann.

Das Jahr 1626, das für ihn in der Sklaverei begonnen hatte, ließ ihn mehr Armut, Glück und Unglück ausstehen, als er bislang ertragen mußte, und es ging auch turbulent zu Ende. Kaum zurück von einer Handelsreise auf die Molukkeninsel Ternate, erreichte ihn zuerst die Nachricht, daß jener arme Teufel, der ihm vor etwa einem Jahr Grüße geschickt hatte, im Sterben lag. Daher sandte er nach dem einzigen Landsmann weit und breit und ersuchte Fernberger, für sein Begräbnis Sorge zu tragen.

Der ließ es sich nicht nehmen, die Bitte persönlich zu erfüllen. Er gab einen Sarg in Auftrag und mietete ein Schiff. Drei Tage, nachdem der junge Mann verstorben war, traf Fernberger auf der Insel Butung südöstlich von Celebes ein. Am Strand fand das Begräbnis statt: Drei Musketensalven von zwanzig angeheuerten Schützen mußten eine anständige Leichenpredigt ersetzen.

Danach fuhr Fernberger noch einmal zur Molukkeninsel Ternate – es war sein dritter Besuch –, um Nelken einzukaufen. In der Zwischenzeit hatte er die Sprache der Insel erlernt. Für ihn war es die hübscheste Sprache, die er jemals gehört hatte. Im ganzen Indischen Ozean gab es keine, die so bezaubernd klang. Allerdings war sie ziemlich schwer zu erlernen gewesen. Inzwischen aber konnte er sich damit leidlich behelfen. Sein Gesicht war ebenfalls schon hinlänglich bekannt, sodaß er zu hoffen wagte, mit seinem derzeitigen Anliegen auf Entgegenkommen zu stoßen. Zu diesem Zweck führte er einen Brustharnisch mit, den er in Goa von einem Portugiesen erstanden hatte: eine alte Arbeit, schön mit goldenen Leisten geziert. Dieser sollte es ihm ermöglichen, eine Ladung Nelken auszuführen, ohne groß Zoll dafür zu bezahlen.

So ging er zum König der Insel. Der fragte ihn, was er Neues zu berichten hätte. Fernbergers militärische Abenteuer hatten das letzte Mal hier größtes Interesse geweckt: Der König hatte eine Vorliebe für Soldaten, Exerzieren und Gefechtsdrill.

„Einiges“, antwortete Fernberger, nicht ganz wahrheitsgemäß. „Bei meinem letzten Kriegszug habe ich schöne Beute gemacht.“ Es wäre ihm eine Ehre, den betreffenden Harnisch dem König zu verehren.

So möge er ihn denn bald bringen, war die erfreute Antwort.

Als Fernberger mit dem Geschenk in Händen wiederkam, flocht er ins Gespräch um das schöne Stück seine Bitte ein: Ob er vielleicht seine kleine Kaufmannschaft diesmal zollfrei ausführen dürfe?

Der König hatte den Brustharnisch sofort angelegt, sichtlich gefiel dieser ihm und er sich selbst darin. Auf seinen Wink wurden Betelnüsse gebracht, er bereitete selbst ein kleines Päckchen aus Nuß und Kalk und Betelblatt zu und reichte es Fernberger. Es lief also gut.

Ob es ihm denn wirklich Ernst wäre damit, den Harnisch verschenken zu wollen?

„Er ist viel zu stattlich für einen einfachen Mann wie mich“, gab Fernberger zurück, „aber passend für einen König. Deshalb verehre ich ihn Euch mit Freude.“

„Da Ihr meiner Person so viel Ehre antut, so geht in mein Frauenhaus und nehmt daraus eine Frau, die Euch gefällt!“

Eine unerwartete Gegengabe. Ein derartiges Angebot kam auch für Fernberger überraschend. Doch ehe er sichs versah, hatte ihm der König seinen Zopf in die Hand gedrückt: Ein seidenes, goldbesticktes Tuch, das – das wußte er inzwischen – dem, der es bei sich trug, hier alle Türen öffnete. Solange er es bei sich hatte, mochte er tun und lassen, was er wollte – auf ganz Ternate würde ihm niemand irgend etwas verwehren.

Christoph Carl Fernberger bedankte sich, wie es sich geziemte und suchte das Frauenhaus auf. Es war ein einziger großer Saal, und als er durchging, sah er sich gemäß dem Wunsch des Königs um. Einige der Frauen schliefen, andere aßen, wieder andere sangen oder kämmten sich die Haare. Irgendwo dazwischen hing eine Stange von der Dekke und darauf saß ein sprechender Vogel. In den berückenden Lauten der Landessprache plapperte er vor sich hin: „Wenn ihr dem Vogel nichts zu essen gebt, dann wird der Vogel hungers sterben!“

Augenblicklich hatte sich Fernberger verliebt. Einen kurzen Moment wägte er ab und kehrte dann schnurstracks zum König zurück.

„Ich habe mein großes Vorrecht bedacht“, begann er vorsichtig. Und weiter: Der König möge ihm seine allzugroße Vermessenheit gnadenhalber verzeihen ... Daß er als armer Christ sich unterstehen wollte, eine der Frauen des Königs zu besitzen ... Denn er wüßte wohl, daß damit das Ansehen des Königs geschwächt würde ... Damit der König sehen könne, daß er sein Geschenk nicht ausschlagen wolle, wage er, eine Bitte zu äußern: Dort im Haus gäbe es einen Vogel, den möge er ihm statt dessen überlassen.

Nachdenklich sah der König Fernberger nach dieser Rede an. Als er endlich sprach, sagte er: „Mein Christ, jetzt bist du so weit aus deinem Land hierher gekommen und bist nicht gewitzter, daß du nicht weißt, daß ein Taler mehr Wert ist, als ein Pfennig?“

Fernberger blieb still sitzen.

Da begann der König zu lachen: „Dann geh' hin um ihn!“ Jetzt brachen auch alle Umstehenden ob Fernbergers närrischen Begehrs in schallendes Gelächter aus. Der aber erhob sich, ging und holte sich den Vogel.

Als die Frauen sahen, wen der Günstling des Königs auserkoren hatte, begannen sie zu zetern und ihn zu schelten. Ja, sie schrien, als ob sie ermordet würden – nur die Gewißheit, daß sie ihn wegen des Tuchs nicht anrühren durften, verschaffte ihm die Sicherheit, unversehrt hinaus zu kommen. Allerdings konnte er nicht verhindern, daß die Frauen ihm folgten und ihm unaufhörlich die häßlichsten Beschimpfungen an den Kopf warfen.

Das Geschrei hatte den König samt Hofstaat vor den Palast gelockt. Die Männer lachten jetzt noch mehr als zuvor. Mit seiner Beute fest in der Hand, gab Fernberger den Zopf zurück. Daraufhin wandte sich der König an seinen hinter ihm stehenden Hafenmeister und

befahl ihm, Fernberger zollfrei ausreisen zu lassen – unbesehen, was er diesmal kaufen und mitnehmen wollte.
Den Papagei brachte Fernberger also sicher außer Landes. Und er brachte ihn in weiterer Folge nicht nur nach Jakarta, sondern auch lebendig heim nach Österreich. Kaum in Wien angekommen verehrte er das teure Tier sogar der zweiten Frau des Kaisers, mußte aber später hören, daß man sein Geschenk wenig gewürdigt hatte. Binnen Monaten war der Vogel verwahrlost und eingegangen.

12. Kapitel

Der Kreis schließt sich

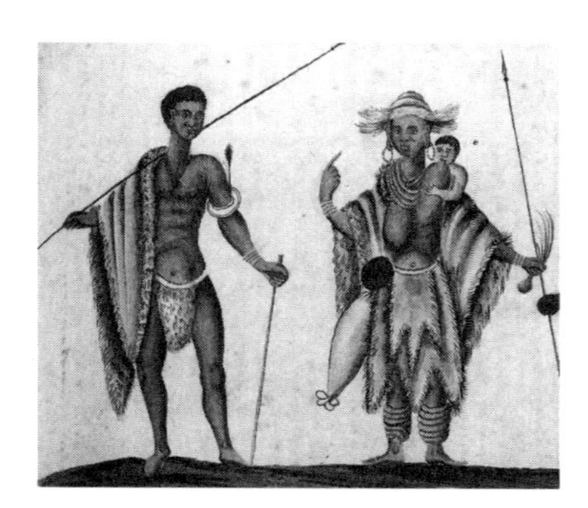

Für Christoph Carl Fernberger begann das Jahr 1627 in Bandar Abbas. Allen Erfahrungen zum Trotz war er noch einmal zu einer Geschäftsreise in den Persischen Golf aufgebrochen. Unter den Kaufleuten, die sich in diesem Jänner hier aufhielten, fand er Anschluß bei einem Türken und einem Armenier. Zu dritt schmiedeten sie Pläne: Sie beschlossen, Kamele zu kaufen und auf dem Landweg nach Konstantinopel zu reisen.

Als jeder zwei Tiere erworben hatte (je eines für die Handelswaren, das andere für den Proviant) erfuhr Fernberger Unglaubliches: Ein Kaufmann berichtete ihm, daß die Türken Österreich überrannt und besetzt hätten.

Schlagartig machte sich das Heimweh bemerkbar. Fernberger wollte nichts anderes, als so schnell wie möglich in die Heimat zurückzukehren. Er löste die Vereinbarung mit seinen Reisegefährten auf und schenkte ihnen seine beiden Kamele. Über ihr Bedauern, den Kameraden zu verlieren, wurden sie – so beteuerten sie wortreich – damit aber nicht hinweggetröstet.

Zwar stellte sich im Nachhinein heraus, daß der betreffende Kaufmann verlogen und die Information falsch war, aber da hatte sich Fernberger längst auf einer portugiesischen Fregatte nach Macau eingeschifft. Als er am 15. Februar glücklich dort ankam, bemühte er sich dennoch um eine Passage nach Europa. Im Hafen lag gerade eine große Karacke, die in Kürze nach Lissabon segeln sollte.

Die Verhandlungen liefen direkt über den portugiesischen Gouverneur der Insel. Fernberger bot an, für seine Fracht Laderaum zu mieten und den Zoll zu bezahlen. Der Gouverneur hielt achthundert Taler für ein angemessenes Passagegeld. Einhundert Taler sollten bei dem Handel zusätzlich für den Kapitän herausspringen, und für seinen Proviant würde Fernberger selbst Sorge tragen müssen.
Der hatte zwar soviel Geld, hielt den Preis aber für zu hoch. Wieder änderte er seine Pläne: Er beschloß, die Reise lieber mit den Holländern zu unternehmen. Diese besaßen überdies die besseren Schiffe. Sowohl beim Segeln als auch im Kampf fühlte sich Fernberger auf holländischen Planken sicherer. Daher bestieg er nach wenigen Tagen eine javanische Dschunke, die Macau mit Kurs Richtung Java verließ.
Zwei Wochen später landete Fernberger mit seinen siebzehn Reisegefährten wohlbehalten im Hafen Tuban. Nach einem weiteren Besuch beim „größten Herrscher der Welt" stand ihm nicht der Sinn, obwohl es drei Tage dauerte, bis er die Weiterfahrt organisiert hatte. Dann war das für zehn *Reales* gemietete Schiff bereit, ebenso wie drei Javaner, die ihn und seine Fracht nach Jakarta bringen sollten.
Die Fahrt in dem kleinen Gefährt war mühselig und nahm wieder zwei Wochen in Anspruch. Fernberger fühlte sich inzwischen elend. Er war während der Reise krank geworden. Als er Mitte März endlich wieder in Jakarta eintraf, mußte man ihn in sein Haus tragen. Obwohl er das Bett hütete, besserte sich sein Zustand nicht – im Gegenteil. Die unbekannte Krankheit ergriff von seinem Körper in einer Weise Besitz, daß Fernberger sein Testament machte.
In Johannes Stein, einem in Jakarta ansässigen Freimann aus Frankfurt am Main, fand er seinen Testamentsvollstrecker. Der sagte dem Freund, den er in den letzten Wochen betreut hatte, zu, dafür zu sorgen, daß sein Reisetagebuch ins Reine geschrieben und an seine Familie in Österreich geschickt würde. Dafür sollten ihm Fernbergers weltliche Güter in der Fremde zufallen.
Zwei Wochen später, inzwischen war es April, war Fernberger wieder gesund geworden. Noch ging es ihm nicht gut genug, um das Haus zu verlassen, doch er hatte jetzt eindeutig das Schlimmste hinter sich. Sowohl der General, als auch alle seine Nachbarn, unbesehen ihrer Hautfarbe, verkürzten ihm in der nächsten Zeit die Tage mit Besuchen und übernahmen allerlei Freundschaftsdienste für ihn.
Als er wieder auf den Beinen war, beschloß Fernberger, seine Geschäfte ruhen zu lassen. Er zehrte von seinem bislang erworbenen Vermögen und führte ein stilles Leben in Jakarta. Um wieder vollends zu Kräften zu kommen, unternahm er aber regelmäßig Ausflüge in den Dschungel.
Bei einer solchen Gelegenheit trafen Fernberger und sein Jäger in einem Reisfeld auf ein Rhinozeros. Fernberger schoß, doch das Tier wurde nur verletzt und entkam. Am nächsten Tag gingen die beiden Männer noch einmal los und folgten der Fährte, konnten das Nashorn aber nicht mehr aufspüren. Fernberger wollte nicht aufgeben. Und am dritten Tag fanden sie tatsächlich das inzwischen verendete Tier. Von Wert war in diesem Zustand nur mehr sein

Horn, das Fernberger abhackte. Es sollte eines seiner teuersten Erinnerungsstücke werden, als er wieder zuhause war. Bei den Einheimischen stand ein Rhinozeroshorn ebenfalls hoch im Kurs, denn es galt als hervorragendes Mittel gegen Gift.

Dieser Tage waren auch zwei Schiffe aus Holland in Jakarta eingelaufen. An Bord hatte sich ein hoher V.O.C.-Rat befunden, der dem General im Beisein von Christoph Carl Fernberger jetzt von seiner Reise erzählte. Unter anderem berichtete er von seinem Aufenthalt am Kap der Guten Hoffnung: Als sie dort Zwischenstation gemacht hatten, war einer der Hottentotten zum Schiff gekommen. Er hatte verlangt, mitgenommen zu werden – also hatte man ihn behalten.

Sein Schicksal lag nun in den Händen des Generals und der entschied, daß man den Hottentotten ins Sklavenhaus der Stadt stecken möge. Da schaltete sich Fernberger ein. Er bat um den kleinen Mann: Er wolle sehen, ob man aus ihm einen Menschen machen könne. Dem General war diese Lösung ebenso recht. Er ließ den Hottentotten bringen, und Fernberger führte ihn nach Hause.

Dort gab er ihn in die Obhut seiner Sklaven, die ihn ordentlich unterrichteten – und siehe da: Zuguterletzt sah sich Fernberger vollauf bestätigt, als aus dem Wilden vom Kap ein durch und durch feiner Schwarzer geworden war. Was man ihm auftrug, konnte er ausführen. Nur seine Sprache konnte keiner reden oder verstehen. Fernberger war begeistert von seinem „Kaponesen". Er hielt ihn wie einen Aristokraten, er durfte nichts arbeiten, sondern sollte nur essen und schlafen.

In der Zwischenzeit nahm Fernberger weiterhin am gesellschaftlichen Leben in Jakarta teil. Am 4. Mai etwa ritt der General spazieren, und Fernberger ritt mit, um die Gefolgschaft zu vermehren. Erst gegen Abend kehrten die Männer heim. Vor der Stadt machten sie noch einmal Halt, um die Pferde am Fluß zu tränken. Allen voran trieb der General sein Tier ins Wasser. Gleich hinter ihm drängte einer seiner Diener nach, und noch ehe der General den Mann zurechtweisen konnte („Er möge gefälligst warten!"), tauchte ein Krokodil auf, verbiß sich ins Maul von dessen Pferd und zog es mit sich zum Grund. Der Mann aber konnte gerade noch abspringen und blieb bis zum Gürtel im Wasser stehen.

An nächsten Morgen wurde das Pferd – oder das, was von ihm übrig war – am Flußufer angeschwemmt: Es hatte gezählte dreizehn Löcher im Kopf, sein Bauch war aufgerissen und die meisten seiner Eingeweide waren herausgefressen.

Drei Tage danach ließ sich ein Javaner beim General melden. Er hatte von dem Vorfall gehört und bot nun an, besagtes Krokodil durch Zauberei zu fangen. Bei Christoph Carl Fernberger regte sich die Neugierde. Er bat den General, das Angebot anzunehmen und hatte selbst vor, den Javaner bei seiner Mission zu begleiten. Er wollte unbedingt sehen, wie diese Zauberei zuging. Zunächst folgte er dem Mann zum Flußufer hinunter und bestieg wie dieser eines der kleinen schlanken Boote. Dann steuerten sie den Fluß etwa eine Meile stromaufwärts. Dort hielt der Javaner aufs Ufer zu. Er tötete einen Affen, besteckte ihn mit roten Blumen und schob ihm

einen großen Angelhaken in den Bauch. Ein langes Seil wurde festgemacht – fertig.
Jetzt wurde der Affenkadaver über den Rand des Bootes ins Wasser gehängt, und der Javaner begann mit seinen Beschwörungen: Das Krokodil möge kommen und den Affen essen ... Denn der Affe habe seinetwegen sterben müssen ... Auch wisse er wohl, daß es dem General ein Pferd gerissen habe ... Es möge also kommen ... Er sei vom General geschickt, das Krokodil vor ihn zu bringen ...
Die ganze Zeit über saß Christoph Carl Fernberger in seinem Boot nicht weit entfernt und sah und hörte kopfschüttelnd zu. Doch da kam tatsächlich das Krokodil angeschwommen. Es packte den Affen, verschlang ihn und tauchte wieder unter. Jetzt gab der Javaner schnell Leine nach, machte das Ende am Boot fest und ließ sich vom Krokodil den ganzen Weg zurück flußabwärts ziehen. Beim Kastell angekommen, wurde das Tier mit vereinten Kräften lebend aus dem Wasser geholt. Und gleich darauf totgeschlagen.
Christoph Carl Fernberger fiel die Aufgabe zu, den Kadaver aufzuschneiden – doch diesmal fand er nicht viel im Bauch des Krokodils. Also begnügte er sich mit ein paar Kilo Fleisch. Es war fein und zart.
Der General aber entlohnte den Javaner mit sechzig *Reales*. Man war sich einig, daß das Krokodil ohne den Zauber und die Beschwörungen nicht aufgetaucht wäre. Fernberger stimmte zu: Seiner Meinung nach war allerdings der Angelhaken dabei der wirksamste Zauber gewesen. Vierzehn Tage später erfuhr er, daß der Mann von einem anderen Krokodil aus seinem kleinen Boot geholt und aufgefressen worden war.
Zur selben Zeit wie dieses Krokodil schlug auch wieder ein Tiger in der Stadt zu. Fernbergers Nachbarn wurde ein Pferd geschlagen. Eigentlich war es mit einem starken Strick angebunden gewesen, doch der Tiger zerriß die Leine mühelos und schleifte seine schwere Beute auch noch einen Musketenschuß weit davon, ehe er sich darüber hermachte. Wieder einmal mußte man sich über die unglaubliche Kraft und Stärke des Raubtiers wundern. Dabei war Fernberger nicht allein. Der General erzählte bei dieser Gelegenheit, daß in diesem Jahr schon hundertzwanzig Menschen von Tigern getötet worden waren. Dabei machten die Tiere keinen Unterschied zwischen schwarz oder weiß – die Toten gehörten allen Nationen an.
Am 30. Juli erreichten endlich zwei andere Schiffe aus Holland die Reede von Jakarta: Eines von ihnen brachte den neuen General, und Fernberger freute sich aus ganzem Herzen. Daß die Ablöse da war, bedeutete, daß in Kürze der alte General samt Gefolge in die Heimat zurückkehren würde. Das war seine Chance!
Um den neuen General an Land zu empfangen, waren noch umfangreiche Vorkehrungen zu treffen, also mußte der gute Mann noch einen weiteren Tag auf dem Schiff zubringen. Am 1. August war es dann soweit: Mit großem Zeremoniell setzte der neue General über. Alle vier Basteien feuerten ihre Kanonen zum Salut ab, die Musketiere standen, Gewehr bei Fuß, in Reih und Glied, das Gouvernement wurde offiziell übergeben. Stadt und Festung leisteten ihren Treueeid und wurden auf

ihren neuen Herrn angelobt. Der zog daraufhin in sein neues, sich inmitten der Bastion befindendes Haus ein, dessen Bau noch der alte General begonnen hatte, das aber gerade erst fertig geworden war.

Eine Woche später stellte Fernberger die Weichen für seine Heimreise. Er suchte den alten General auf. Der stellte ihm den Kapitän des Schiffes vor, auf dem er nach Holland zurückkehren würde. Und er handelte eigenhändig Fernbergers Passage mit ihm aus. Das Ergebnis: Zweihundert Taler mußte Fernberger berappen. Transport, Fracht, Zoll und sogar der Proviant waren diesmal inklusive.

Der General aber sollte ebenfalls von dem Handel profitieren. Er ersuchte Fernberger, auch seine Angelegenheiten zu regeln, nicht nur die eigenen. Wie hätte Fernberger „Nein" sagen können? Also organisierte er nicht nur seine Heimreise, sondern kümmerte sich wie ein Diener auch um das Hab und Gut seines Gönners und ließ alles aufs Schiff bringen.

Im Gegenzug erbat Fernberger erneut einen Gefallen vom General: Erst vierzehn Tage zuvor hatte er einen Leoparden gekauft, er war recht teuer gewesen (immerhin fünfzig *Reales*), und er wollte ihn gerne mitnehmen. Der General versprach anzugeben, daß das Tier ihm gehöre – so würde Fernberger es behalten können.

Mitte September wurde es langsam ernst. Am 18. verkaufte Fernberger sein Haus: Mitsamt drei Schwarzen, einer Sklavin und einem kleinen Kind erzielte er dafür vierhundertfünfzig *Reales*. Er war zufrieden. Zwei weiteren Sklaven und einer Sklavin gab er die Freiheit. Am 20. brachte er seinen restlichen Besitz zum Schiff. Auch seine Tiere schiffte er sein. Die Liste war beachtlich: Fernberger hatte einen weißen Kakadu dabei, den sprechenden Papagei aus dem Frauenhaus des Königs von Ternate, zwei Paradiesvögel, zwei Meerkatzen, einen großen Affen und natürlich den Leoparden. Der sprechende Papagei wurde in der Kombüse abgegeben: Fernberger vereinbarte mit dem alten Koch, ihm einhundert *Reales* zu bezahlen, sollte das Tier in Holland noch leben. Der legte sich daraufhin während der ganzen Überfahrt entsprechend ins Zeug. Den Leoparden vertraute er hingegen der Obhut eines Matrosen an, der für seine Mühe fünfzig der spanischen Silbertaler erhielt (die aber dafür sofort bar auf die Hand). Für die restlichen Tiere hatte er seinen schwarzen Sklavenjungen und seinen Kaponesen als Pfleger und Wärter vorgesehen.

Tags darauf richtete er im Haus eines Holländers sein Abschiedsbankett aus und sagte all seinen guten Freunden Lebewohl. Es war noch eine gute Woche bis zur Abfahrt hin.

Am 28. September fand das offizielle Galadiner der V.O.C. für den scheidenden General statt. Sein Nachfolger hatte dazu alles eingeladen, was in Jakarta Rang und Namen hatte.

Und am folgenden Morgen ging es los. Im Gefolge des alten Generals verließ Fernberger die Stadt. Wieder waren die Musketiere angetreten und gaben drei Salven zu Ehren ihres langjährigen Befehlshabers ab. Der neue General gab ihnen das Geleit bis vor die Festung und weiter zum Fluß, wo die Boote bereitlagen. Als der Konvoi dann mit der Strömung vorbei und zur Reede hin trieb,

wurden auf den Basteien alle Kanonen abgefeuert.
Draußen an der Mündung wartete das nächste Abschiedskommando: In rund dreißig großen und kleinen Booten saßen die Bewohner der Stadt. Holländer, Deutsche, Malaien, Japaner und Chinesen. Darunter auch scharenweise chinesische Frauen. Viele von ihnen weinten. So beliebt war der scheidende General bei den Leuten gewesen. Die kleine Flotte folgte dem Konvoi bis hinaus auf die Reede zum großen Schiff. Auch dieses grüßte den General mit drei Salutschüssen, noch bevor sein Boot an der Leiter festmachte. Dann wurden die Segel ausgeschüttet, und nachdem der General mitsamt seinem Gefolge an Deck begrüßt worden war, lichtete das Schiff seinen Anker.
Gemeinsam mit jenen vier Schiffen, die den General auf der Heimreise begleiten sollten, lief es eine halbe Meile von der Reede ab und ankerte dann erneut. Jetzt kam nur mehr der Equipagenmeister an Bord. Er war der Verantwortliche für die Ladung und visitierte das Schiff insbesondere nach unerlaubt an Bord geschmuggelten einheimischen Sklaven. Fernberger erwartete den Mann in seiner Kajüte. Den kleinen Jungen ließ er in sein Bett schlüpfen, deckte ihn zu und legte sich halb und halb obenauf. Als der Beamte kam, fragte er Fernberger (die beiden waren seit Jahren gute Freunde) der Form halber, ob er gar einen versteckte. „Natürlich“, antwortete Fernberger, „hier unter mir!“ Und lachte.
So wandte sich der Mann ebenfalls lachend zum Gehen. Nachdem er das Schiff also mehr oder weniger gründlich durchsucht hatte, ging er wieder von Bord. Nun durfte sich kein Schiff oder Boot mehr nähern oder gar bei ihnen festmachen.
1. Oktober 1627. Zu Mittag stach das Geschwader in See. Es ging nach Hause! An Bord war die Freude darüber so groß, als sollte es geradewegs in den Himmel gehen. Die Flotte steuerte die Küste Javas entlang, an Bantam vorbei und rundete das westliche Kap der Insel. An Steuerbord lag jetzt Sumatra. Nachdem mit Krakatau die letzte Insel in der Passage achteraus verschwand, hielten die Schiffe auf den offenen Ozean zu.
Eine kurze Flaute hatte die Fahrt gleich bei der Einfahrt in die Meeresstraße gestoppt, dann aber, als sie aus der Abdekkung kamen und die Mannschaft wie üblich auf Ration gesetzt worden war, machte sich an Bord der Alltag einer Langstreckenfahrt breit. Das Flaggschiff ging auf Kurs Südsüdwest, das Geschwader folgte.
Mit seinem eigenen Astrolabium hielt Christoph Carl Fernberger in den folgenden Wochen den Fortschritt dieser Reise fest. Ende Oktober: südliche Breite 18 Grad. Dann schlug ein widriger Wind die Schiffe wieder zurück. Mitte November: 13 Grad. Am 3. Dezember querte die Flotte den Wendekreis des Steinbocks: 23 ½ Grad. Mitte Dezember: 35 Grad, Kursänderung auf Nordwest. 26. und 27. Dezember: Sturm.
Am 29. Dezember erreichten die Schiffe eine günstige Windströmung, und Fernberger stellte fest, daß sie nur noch zwanzig Meilen vom Kap der Guten Hoffnung trennten. Trotzdem sollte es noch dauern, bis endlich Land in Sicht kam. Erst am 13. Jänner 1628 war es dann zu erkennen. Am Horizont lag Afrika! 34 ½ Grad.

In den folgenden Tagen schloß die Flotte zur Küste auf und folgte ihr nach Westen. Den südlichsten Punkt des Kontinents passierten die Schiffe in der Nacht des 17. (trotz der vielen Feuer, die am Kap Agulhas brannten, wären sie fast dort aufgelaufen), doch Gottlob: Am nächsten Tag kam das Kap der Guten Hoffnung in Sicht!
Christoph Carl Fernberger wies seinem Hottentotten dessen Heimatland. Der lachte darüber und hüpfte vor Freude an der Reling. Am Nachmittag ließ Fernberger ihn in seine beste Garderobe schlüpfen und stattete ihn mit einem Säckchen Reis aus, dazu ein wenig Arrak in einem Fläschchen. Einige Stücke Messing packte er ihm ebenfalls noch ein. Doch bevor er ihn nach Hause schickte, ließ er ihn noch ein paar ordentliche Schlucke vom Branntwein nehmen und führte ihn angeheitert dem General vor.
„Pubas! ... Pass!“
Mehr als „Kühe“ und „Schafe“ war dabei nicht zu verstehen, aber Fernberger reimte sich den Rest schon zusammen: Sein Hottentotte würde für die Flotte Lebendproviant in rauhen Mengen auftreiben.
So fuhren die beiden nun mit einem Landungstrupp zum Ufer. Dort wurden Fernberger und sein Begleiter bereits erwartet. Über zwanzig Hottentotten standen am Strand, alle nackt bis auf ein viereckiges Fell über der Schulter. Als sie ihren Landsmann erkannten, kam Bewegung in die Menge. Die Männer stapften ins Meer, bis ihnen das Wasser über dem Bauch stand, und umringten das ankommende Boot. Fernbergers Hottentotte war von dem Empfang wenig begeistert. Wahllos schlug er nach allen Seiten auf seine Brüder ein. Fernberger gab er zu verstehen, sie seien Freibeuter. Diebe und Räuber also. Nur einer der Männer fand vor seinen Augen Gnade. Er griff nach ihm, begrüßte ihn nach seiner Sitte und bedeutete Fernberger, dieselbe Höflichkeit walten zu lassen. Der zierte sich, denn es hatte so ausgesehen, als hätte der eine den anderen dazu in den Hintern gebissen.
Während sein Hottentotte nun mit dem neuen Gefährten ins Landesinnere aufbrach, blieben die anderen und wikkelten mit Fernberger und dessen Begleitern das übliche Geschäft ab: Schildkröten und Straußeneier wechselten gegen Glasperlen den Besitzer.
„Ich habe noch nie so wilde Leut' gesehen!“ Christoph Carl Fernberger und alle anderen, die noch nie am Kap gewesen waren, staunten nicht schlecht. Die Hottentotten hatten völlig verfilztes krauses Haar, mit Kuhmist beschmierte Gesichter und trugen Schafs- und Rinderdärme um den Hals (von den frischen bissen sie auch gelegentlich ab).
„Sie stinken wie Aas!“
Und obwohl die Hottentotten eine Art Tanz zum besten gaben (unter Geschrei, das sich wie „Hodendo! Hodendo!“ anhörte), suchten die Europäer alsbald das Weite. Abseits im Gebüsch fanden sie dabei die Waffen, die die Hottentotten zurückgelassen hatten. Aber es waren nur schwache Pfeile und Bogen aus Holz.
Zwei Tage später machte Fernberger mit einem Teil der Schiffsbesatzung wieder einen Ausflug zum Ufer. Diesmal fanden sie die Hottentotten alle beim Feuer sitzen und essen. Allerdings aßen sie Fleisch von einem angeschwemmten

Walkadaver, der in der Nähe lag und inzwischen auf eine halbe Meile Entfernung zum Himmel stank, sodaß keiner dort vorüber gehen mochte. Keiner der Europäer zumindest. Die Hottentotten hatten sich dagegen ein ordentliches Stück Fleisch herausgeschnitten, gebraten und nagten jetzt ebenso daran wie ihre Hunde. Sie luden die Männer ein, sich zu ihnen zu gesellen. Diese allerdings zogen es vor, schleunigst zum Schiff zurückzukehren.
Doch sie sollten an diesem Tag noch einmal wiederkommen, um einen ihrer Toten an Land zu bestatten. Am nächsten Morgen mußten sie jedoch sehen, daß der Leichnam wieder ausgegraben worden war. Außerdem fehlten ihm einige Teile. Aufgefressen von den Kaponesen!
Die grausige Entdeckung sollte nicht die einzige Überraschung des Tages für Christoph Carl Fernberger bleiben. Gegen Abend tauchten Löwen am Fluß auf. Zwei erwachsene Tiere und drei Junge. Löwen hatte er selbst während der gesamten Zeit auf Reisen noch nicht gesehen.
Am 22. Jänner, inzwischen ankerten die Schiffe schon den fünften Tag am Kap, war Fernbergers Hottentotte noch immer nicht aufgetaucht. Er mußte nun wohl davon ausgehen, daß man ihn erschlagen hatte ...
Wer vor der Weiterfahrt Wert darauf legte, nutzte diesen Tag als Waschtag. Fernberger und der General gehörten dazu. Nur daß sich der General nicht persönlich um seine Wäsche kümmerte, das erledigte Fernberger für ihn. Gemeinsam mit den als Wäschern angeheuerten Matrosen setzte dieser nun mit seinen und des Generals gesamten Kleidungsstücken zum Ufer über. Während die anderen arbeiteten, wachte Fernberger darüber, daß nichts gestohlen wurde.
Als die Männer ihr Tagwerk beendet hatten und zum Boot zurückgingen, mußten sie feststellen, daß ein starker auflandiger Wind hohen Seegang aufgebaut hatte. Der Weg zurück zum Schiff war versperrt. Wohl oder übel richteten sich die Männer also darauf ein, die Nacht am Strand zu verbringen.
Da tauchten in der Ferne an die zweihundert Hottentotten auf. Sie trieben eine Herde Rinder und Schafe vor sich her. Als der ganze Troß am Meer bei den Europäern anhielt, liefen einige sofort auf Christoph Carl Fernberger zu. Was sie sagten, konnte er nicht verstehen, doch offensichtlich war er es, mit dem sie reden wollten.
„Anzoni!“ „Anzoni!“
Antoni? Sein Sklave? Was auch immer das bedeuten mochte, Fernberger wurde langsam richtig bang. Schließlich waren sie nur zu zehnt und hatten keine einzige Muskete dabei. Die Hottentotten faßten ihn an den Armen, wiesen auf ihn, dann auf das Vieh.
„Anzoni!“ „Anzoni!“
Das machte nur Sinn, wenn sein Hottentotte die Tiere geschickt und seinen Landsleuten von ihm erzählt hatte. Fernberger versuchte, die Situation wieder unter Kontrolle zu bringen: Mit Händen und Füßen und so gut es eben ging, machte er sich verständlich: Sie sollten schlafen gehen und das Vieh wegtreiben, am nächsten Morgen sollten sie wiederkommen.
„Saragua!“ „Saragua!“
Das war Messing! Fernberger wußte, daß sie das Metall als Gegengabe für ihre

Tiere forderten. Er ging auf den Handel ein, bedeutete ihnen aber noch einmal, ihn jetzt allein zu lassen. Und fast wäre ihm das auch gelungen. Endlich trieben die Männer ihr Vieh weg, doch drei der offensichtlich Vornehmsten unter ihnen blieben und wichen die ganze Nacht nicht von Fernbergers Seite.

Außerdem erhielt Fernberger ein Schaf als Geschenk. Die Gabe wurde zum willkommenen Abendessen. Als das Tier getötet und ausgeweidet war, stürzten sich die Hottentotten auf die Gedärme und aßen sie gleich roh. Bei Fernberger und seinen Begleitern war der Hunger nicht ganz so groß. Sie konnten es erwarten, das Tier am Spieß zu grillen, bis das Fleisch gar war.

In dieser Nacht machte Fernberger kein Auge zu. Auch seine Gefährten schliefen nicht, zu groß war die Sorge, daß die Hottentotten sie überfallen würden. Doch am nächsten Morgen waren alle noch am Leben. Vom Flaggschiff setzte ein weiteres Boot an Land über. Der General, dem man die Ankunft des dringend benötigten Proviants am Abend noch gemeldet hatte, kam persönlich. Und er brachte auch gleich eiserne Faßreifen mit und alles Messing, das sie entbehren konnten. Da kehrten die Hottentotten mit ihren Herden ebenfalls zum Strand zurück. Nun konnte der Handel beginnen.

Als der General die Verhandlungen eröffnen wollte, sträubten sich die Hottentoten. Nur mit Fernberger würden sie tauschen. Soweit machten sie sich schnell verständlich.

„Mein Antoni hat ihnen wohl viel von mir erzählt!“ wandte sich Fernberger an den General und die Umstehenden. Ein wenig stolz war er schon. Außerdem versuchte er in Erfahrung zu bringen, wo sein Hottentotte jetzt war. „Er würde bald kommen“, war die gestikulierte Antwort.

Als das geklärt war, konnte auch der Tauschhandel endlich in Angriff genommen werden. Und das ging so vor sich: Christoph Carl Fernberger nahm ein Stück Messing in die Hand, ein Hottentotte nahm eine Kuh beim Horn. Wenn dieser nach dem Metall griff, stürzten drei Matrosen hinzu, hielten die Kuh fest und brachten sie zum Boot. Wenn ihnen ein Tier entkam, lief es stracks zurück zu seiner Herde. In dem Fall mußte es erneut ersteigert werden. Den ganzen Tag lang erhandelte Fernberger also Kühe und Schafe. Zum Schluß zählte man an die zweihundert Tiere, die auf alle fünf Schiffe aufgeteilt wurden.

Aber die Vorratslager waren noch nicht voll genug. Am nächsten Morgen kamen die Hottentotten wieder zum Strand. Diesmal brachten sie Hunderte von Schildkröten und Straußeneiern. Selbst verendete Vögel, die sie auf dem Weg gefunden und schon zur Hälfte aufgegessen hatten, boten sie jetzt den Europäern als Reiseproviant an. Offenbar setzten sie deren Eßgewohnheiten beharrlich mit den eigenen gleich.

Überraschend offerierten sie außerdem sechs weitere Kühe. Sie wollten sie im Tausch gegen den feisten Schiffsjungen geben. Was sie mit ihm vorhatten? Sie wollten ihn essen, wurde den Holländern bedeutet. Der Handel kam nicht zustande.

Die bereits eingetauschten Rinder und Schafe aber erwiesen sich als pure Wohltat für die Schiffsbesatzungen. Insgesamt waren inzwischen über hundert Mitglieder der Mannschaften krank. Die

Männer litten an Ödemen, doch das frische Fleisch vermochte bis auf zwei alle zu kurieren.
„Es ist schon eine wunderliche Sache", räsonierte Fernberger, der diesmal zu den Gesunden zählte, „wenn wir in den Indischen Ozean fahren, sterben die Männer alle an Skorbut, und wenn wir wieder nach Hause fahren, an der Wassersucht."
Eine ganze Woche lang kam nichts als frisches Fleisch auf den Tisch. Dann waren die Kranken wieder einsatzfähig, und dem Aufbruch stand nichts mehr im Wege. Christoph Carl Fernberger dachte viel an seinen Hottentotten: Doch dieser kam nicht wieder. Als am 2. Februar die Anker gelichtet wurden, war klar, daß er ihn hier zurücklassen mußte. Ihm war leid deswegen, sehr leid sogar. Denn er hatte fest vorgehabt, seinen Kaponesen nach Hause mitzunehmen.
Als das Flaggeschiff bereits unter Segel gegangen war, legte das Beiboot des Vizeadmirals gerade erst vom Strand ab. Später erfuhr Fernberger von den Männern, daß just an diesem Morgen einige Hottentotten angekommen waren, die Antonis Kleider bei sich gehabt hatten. Er wäre mit viel Vieh auf dem Weg zurück, ließen sie die Männer wissen. Doch da war es bereits zu spät. Fernbergers Kummer wollte nicht vergehen. Auch seinen Sklavenjungen sollte er noch verlieren, als dieser drei Tage darauf überraschend verstarb.
Die Fahrt selbst aber ging nun gut vonstatten. Schon am 17. passierte die Flotte den Wendekreis des Steinbocks und am 24. sichtete sie die Insel Sankt Helena. Noch am selben Tag warfen die Schiffe auf der dortigen Reede Anker. Wie froh waren alle an Bord! Sobald wie möglich setzten die Mannschaften über an Land.
Sankt Helena war berühmt für seine grünen Berge und lieblichen Täler. Noch gefragter aber waren die wild lebenden Schweine und Ziegen, die die frühen Seefahrer mitgebracht hatten und die inzwischen zu tausenden die Insel bevölkerten. Solange sie hier waren, ging Christoph Carl Fernberger täglich mit fünf oder sechs anderen auf die Jagd. So brachte er es innerhalb von drei Wochen auf vierzig Ziegen und acht Schweine. Allerdings verstieg er sich bei diesen Ausflügen oft derart in den steinigen Klippen, daß er manchmal meinte, er werde sich noch den Hals brechen. Am Ende aber blieben Fernbergers Knochen heil.
Obwohl es keiner mehr erwarten konnte, nach Hause zu kommen, zog sich der Aufenthalt in Sankt Helena in die Länge. Inzwischen leckten die Schiffe so stark, daß sie vor der letzten Etappe überholt werden mußten. Diese Arbeiten nahmen die nächsten Wochen in Anspruch. Erst am 19. März ging die Flotte wieder unter Segel und nahm das ausstehende Schlußstück der Reise in Angriff.
Viel zu erzählen gab es auch hier nicht mehr. Am 2. April überquerten die Schiffe zum letzten Mal den Äquator, am 30. April gab es eine Mondfinsternis zu sehen und am 18. Mai hatten sie den Wendekreis des Krebses erreicht. In den folgenden Wochen segelte das Geschwader die letzten ausständigen Breitengrade ab.
Am 11. Juni tauchte schließlich der erste Zipfel Europas am Horizont auf und noch am selben Tag ankerten die Schiffe an der englischen Küste des Ärmel-

kanals zwischen Dover und Calais. Christoph Carl Fernberger gehörte zu dem kleinen Gefolge, das den General an Land begleiten durfte. Sie mußten Wein und Hühner für die Kranken kaufen. Als das erledigt war, mietete der General einen Wagen und lud Fernberger zu einem Ausflug nach Sandwich ein. Dort wohnte ein Freund, den er bei dieser Gelegenheit aufsuchen wollte. Es wurde nur ein kurzer Besuch, kaum Zeit genug, um sich anständig bewirten zu lassen. Am nächsten Morgen waren die beiden schon wieder zurück am Flaggschiff, und die Flotte lichtete ihre Anker.

„Gott sei Lob und Dank!" Nach so viel ausgestandener Mühe liefen alle fünf Schiffe am 16. Juni sicher im heimatlichen Zeeland ein. Für die Ankunft waren die Geschütze ausgerannt worden, jetzt feuerte das Flaggschiff fröhlich seine Salven ab. Für diesen Augenblick hatte die gesamte Besatzung ihre besten Seidenkleider angelegt. Ein bunter Haufen, sie mußten wohl aussehen wie Komödianten!

Einen kurzen Moment lang dachte man noch an die hundertzwanzig Männer, die ihr Leben auf dieser Reise verloren hatten und an die zweiundzwanzig Kranken, die noch unter Deck lagen. Dann brachten die Boote schon die ersten Besucher und Gratulanten zu den Schiffen herüber. Alsbald hatte sich eine Hundertschaft am Hafen eingefunden, und noch immer strömten aus der Stadt mehr Menschen nach, um die angekommenen Schiffe zu bejubeln. Außerdem fanden sich die Herren Direktoren der V.O.C., die ebenfalls von Middelburg ans Wasser gekommen waren, ein.

Die Beamten hießen den General offiziell willkommen. An Land warteten vier Kutschen, die ihn und sein Gefolge aufnehmen und ins Wirtshaus bringen sollten. Christoph Carl Fernberger und der General hatten im Vorfeld besprochen, nach der Ankunft gemeinsam Quartier zu beziehen. Also fuhr Fernberger jetzt mit. Um seine Habe brauchte er sich nicht zu kümmern. Sie wurde, wie die übrige Fracht, mit kleineren Schiffen in die Stadt und dort einstweilen zur Ostindischen Faktorei gebracht.

Volle zehn Tage dauerte der Aufenthalt. Zehn Tage, in denen Fernberger auf Kosten der V.O.C. logierte und sich verköstigte. Beides übrigens zur vollsten Zufriedenheit. Zum Schluß bezahlten die *Bewindhebber* die beeindruckende Zeche von achthundert Gulden.

Nachdem Fernberger seine Fracht nach eingehender Begutachtung wieder ausgehändigt bekommen hatte, machte er sich gemeinsam mit dem General auf den Weg. Zwei der Beamten begleiteten sie nach Den Haag. Von dort ging es weiter nach Amsterdam. Der Kreis hatte sich geschlossen.

Christoph Carl Fernberger war sein Ruf vorausgeeilt. Sogar bis zum Prinzen von Oranien war die Kunde gedrungen. Doch nicht seine Person oder seine Irrfahrt um den Globus hatte das Interesse des Mannes geweckt. Es ging um seinen Leoparden. Im Handumdrehen wurde Fernberger das Tier abgenommen. Er hätte es niemals ausführen dürfen, lautete die lapidare Botschaft, die Fernberger nachträglich ausgerichtet wurde. Eine Beschwerde kam nicht in Frage. Was hätte er auch erwidern sollen? Also mußte er die Sache wohl oder übel auf sich beruhen lassen.

Trotzdem blieb Fernberger noch zehn Tage in Amsterdam. Dann wurde es Zeit, sich zu verabschieden. Die Weiterreise hatte er schon organisiert. Diesmal sollte sie allerdings auf dem Landweg stattfinden. So fuhr er Anfang Juli zunächst nach Hamburg, kaufte zwei Pferde und zog über Lüneburg, Magdeburg und Leipzig nach Prag. Von dort war es nur mehr eine kurze Strecke nach Wien.

Mitte August war Christoph Carl Fernberger wieder zu Hause. Nach all den Jahren fand er die Seinen glücklich und gesund vor. Mithilfe seiner Notizen machte er sich nun daran, die Geschichte seiner Reise aufzuschreiben: „In aller Kürze" wollte er alles verzeichnen und nur angeben, wie und in welcher Weise er sie absolvieren konnte.

So schloß sich auch das letzte Kapitel. Wer sich auf den *globus terrestris* verstand, der könne sehen, wie fleißig er versucht hatte, sowohl auf der Hin- als auch der Rückfahrt die geographische Länge und Breite anzugeben. Wer aber nichts davon verstünde und ihm nicht glauben wolle, für den hatte Fernberger einen Rat: „Der zieh selber aus und besehe es selbst, dann wird er mir leichter Glauben schenken. Ich habe es durch Gottes Gnade und Barmherzigkeit geschafft und mit fünf Dukaten aus dem Haus meines Vaters. Ihm sei Lob und Ehr und Dank gesagt. Amen."

Editorische Notiz

Dieses Buch basiert auf den Erzählungen des Reisetagebuches von Christoph Carl Fernberger. Es folgt dabei der Edition des Manuskriptes aus dem Wiener Privatarchiv der Grafen Harrach aus dem Jahr 1971 von Karl R. Wernhart (Wien: Europäischer Verlag).

Die Geschichte der siebenjährigen Irrfahrt um den Globus ist nach Fernbergers Text beschrieben. Behutsame redaktionelle Eingriffe erfolgten dort, wo zum Verständnis Ergänzungen, etwa zum Zeitgeschehen, notwendig erschienen oder wo durch unterdrückte oder verlorene Detailinformationen die Erzählung zu verblassen drohte. Bei Textpassagen, die sich dem Verständnis aufgrund völlig zerstörter Syntax und offensichtlich zeitgenössischer Bearbeitung entziehen, wurde aus den gegebenen Informationen eine sinnvolle Version konstruiert.

Da Fernberger bei seinem zweiten Schiffbruch seine „Schreibtafeln" verlor und anschließend auch die Lust, weiter detailliert Tagebuch zu führen, fehlt das Jahr 1626 im Manuskript fast vollständig. Die Lücke wurde durch Erzählungen ergänzt, die im Original an anderer Stelle wiedergegeben werden, aber offensichtlich in diesen Zeitraum fallen. Die Reihenfolge dieser Erzählungen und der die Episoden verbindende Rahmen sind zwar plausibel, aber frei erschlossen.

Biographien

Christoph Carl Fernberger

Geb. um 1600 in Eggenberg, 1621 als Hauptmann der spanischen Armee Gefangennahme in den Niederlanden. Heimreise, die zu einer unfreiwilligen Weltreise wird, Rückkehr 1628. Im 30-jährigen Krieg Karriere im kaiserlichen Heer. Ehe mit Maria Rähweinin kinderlos, gest. 1653 in Maria Enzersdorf.

Martina Lehner

Geb. 1969 in Gmunden, studierte Geschichte und Publizistik in Wien. Zahlreiche populärwissenschaftliche Veröffentlichungen zu Reiseliteratur und Heimatgeschichte in Zeitungen, Zeitschriften und Sammelbänden. Lebt und arbeitet in Wien.

Bildnachweis

Umschlag: *Papagei*: Aus: Guilielmus Piso, De Indiae Utriusque Re Naturali et Medica Libri Quatuordecim (Amsterdam 1658).
Logo der „Vereenigden Oostindiscen Compagnie".
Vor- und Nachsatz: *Weltkarte*: Aus: Abraham Ortelius, Theatrum Orbis Terrarum (Antwerpen 1573).
S. 6: Porträt Christoph Carl Fernberger (1646)
Kap. 1: *Stich von Amsterdam*: Aus: Philipp von Zesen, Beschreibung der Stadt Amsterdam (Amsterdam 1664).
Kap. 2: *Karte der Kapverden*: Aus: Petrus Bertius, Tabularum Geographicarum contractarum libri quatuor (Amsterdam/Arnheim 1600).
Kap. 3: *Magellanstraße und Feuerland*: Aus: Barent Jansz Potgieter, Freti Magellanici ac novi Freti vulgó Le Maire exactissima delineatio ... (Amsterdam ca. 1628).
Kap. 4: *Seeschlacht*: Aus: Levinus Hulsius, Achte Schiffart. Kurtze Beschreibung, was sich mit den Holländern und Seeländern, in den Ost Indien die nechst verlauffene vier oder fünff Jahre als Anno 1599. 1600. 1601. 1602. und 1603. zugetragen, wie sie sich etlich mal mit den Portugesern und Hispaniern geschlagen, davon etliche Schiff An. 1604. in Holland ankommen, und was darauff erfolgt (Franfurt am Main 1605).
Kap. 5: *Karte von Hinterindien und den Molukken (Detail der Fernostkarte)*: Aus: Jan Huygen van Linschoten, Itinerário, Viagem ou Navegação para as Índias Orientais ou Portuguesas (Lisboa 1997).
Kap. 6: *Europäer in Jakarta mit einheimischer Ehefrau*: Aus: Georg Franz Müller, Reißbuech (1646-1723). Stiftsbibliothek St. Gallen, Cod. Sang. 1311.
Kap. 7: *Pfeffer*: Aus: Leonhard Fuchs, New Kräuterbuch (Basel 1543).
Kap. 8: *Chinesische Kaufleute*: Detail aus: Willem Lodewijcksz, Nova tabula, Insularum Javae, Sumatrae, Borneonis et aliarum Malaccam usque, delineata in insula Iava, ubi ad vivum designantur, vada et brevia scopulique interjacentes descripta ... (Amsterdam 1598).
Kap. 9: *Musketiere*: Aus: Abraham de Bruin, Jaspar Rutus, Hadrian Damman, Omnium poene gentium imagines. Ubi oris totiusque coporis & vestium habitus, in ordinis cuinscungque ac loci hominibus disigentissimé exprimuntur (Köln 1577).
Kap. 10: *Indischer König mit seinen Kriegern*: Aus: Jan Huygen van Linschoten, Itinerário, Viagem ou Navegação para as Índias Orientais ou Portuguesas (Lisboa 1997).
Kap. 11: *In Persien*: Detail der Rußlandkarte aus: Abraham Ortelius, Theatrum Orbis Terrarum (Antwerpen 1573).
Kap. 12: *Hottentotten vom Kap der Guten Hoffnung*: Aus: Georg Franz Müller, Reißbuech (1646–1723). Stiftsbibliothek St. Gallen, Cod. Sang. 1311.

Porträt von Ch. C. Fernberger S. 6: Mit freundlicher Genehmigung der Universitätsbibliothek Salzburg, Sondersammlungen.
Illustrationen auf Umschlag, Vor- und Nachsatz sowie in Kap. 1, 2, 3, 4, 8, 9, 11: Mit freundlicher Genehmigung der Österreichischen Akademie der Wissenschaften, Wien, Sammlung Woldan.
Illustrationen in Kap. 5, 10: Mit freundlicher Genehmigung der Comissão nacional para os Comemorações dos Descobrimentos portugueses, Lisboa.
Die Illustrationen in Kap. 6, 12: Stiftsbibliothek St. Gallen, Cod. Sang. 1311.

Der Verlag hat sich bemüht, alle Abbildungsrechte zu klären; für jene Abbildungen, deren Rechteinhaber bis zur Drucklegung nicht geklärt werden konnten, wird der Verlag den berechtigten Forderungen gerne nachkommen.

TYPVS OR
AMERICA SIVE IN DIA NOVA. Ao 1492. a Christophoro Colombo nomine regis Castellę primum detecta.
CIRCVLVS ARCTICVS.
TROPICVS CA
CIRCVLVS AEQVINOCTIALIS
TROPICVS CAPRICORNI.
CIRCVLVS ANTARCTICVS.
MAR DEL ZVR
EL MAR PACIFICO
Hanc continentem Australem, nonnulli Magellanicam regionem ab eius inuentore nuncupant.
Noua Guinea nuper inuenta quę an sit insula an pars continentis Australis incertũ est
Kalifornien
Paita
Arica
Mocha
Insula pinguinis
São Sebasti
Noua Francia
Chilaga
Florida
Hispania Noua
Peru
Brasil
Terra del Fuego
TERRA AVST
QVID EI POTEST VIDERI MAGNV
OMNIS, TOTIVSQVE MVNI